地球は継母

―地球にとって人類は異星人―

夕光　著

地球は継母＊目次

地球は継母

——地球にとって人類は異星人——

はしがき

この物語は天啓から得た想念で書かれたものです。

読者は天啓という文字を読んだだけで、うさんくさく思う人が多いと思う。

筆者も二十七歳まではそうでした。

それまで、筆者は科学唯一論者で、科学で証明されないものは、世の中に存在しないという考えを持っていました。

「天啓」「奇跡」「霊魂」「精霊」を迷信と思い、神の存在さえ否定していました。

その考えを一変させる出来事が二十七歳のときに起きたのです。

それは、週刊誌を読んでいて偶然に目に飛び込んできた記事でした。

その内容は、アメリカの科学者の間で瞑想がブームになっているという記事でした。

筆者は世界中の人間の中で、科学者が一番信頼できる理知的な人達だと信じていました。

その聡明な人達が、自分の中では、迷信の部類としか思っていなかった瞑想を実行し、その中から多くのインスピレーションを得ているという内容に信じられない思いでした。

半信、半疑ながら、筆者も瞑想を試みたところ不思議な事が起こったのです。

自分が今まで想像すらしなかった想念が次から次へと浮かんでくるのです。

それは、まるで宇宙には知識の図書館があり、瞑想は宇宙の図書館と脳の無意識層とを継ぐスイッチではないだろうか、と思わせる想念でした。

その内容は多岐にわたっていました。

暗黒物質の存在、光の誕生、ブラックホールの形成、銀河の誕生、太陽系の変遷、人間誕生による地球原人の滅亡、遺伝子の改造、しかし、その内容は、科学が今ほど進んでいないその当時では、到底理解不可能な内容でした。他人に話しても妄想のたぐいにしか受け止められかねないと思いその想念を自分の中に仕舞い込んでしまいました。

その後、タクシーの運転手の仕事に就くと瞑想の時間が取れなくなりました。タクシーの仕事は歩合制で十時間以上働かないと生活出来ない職場でした。そのうち、運動不足がたたったのか六十五歳のとき心筋梗塞を起こして救急車で病院に緊急搬送され、着くと即手術が行われ、一命を取り止めることが出来ました。

手術後思うのは、自分の今までの人生でした。自分は独身で子供がいません。ということは、地球に生命が誕生してから現在の自分にまで進化してきた自分の遺伝子は跡絶えてしまうのです。

何十億、何百億と気が遠くなる程の時間を生き抜いてきた遺伝子にとって自分は不誠実な宿主となってしまうのです。

自分は何をするために生まれてきたのだろうか。自分が生まれてきたという証が何も無いのです。

退院後、自分がしたことは、ダンボール箱に仕舞い込んであった想念のメモを読み返すことでした。読み返してみて、鳥肌が立ちました。

これは奇跡の書ではないか！

メモした当時は、理解不可能と思っていた物理の世界、医学の世界、天文学の世界が現実なものになっているのです。

それでも、まだ、現実になっていない想念が沢山残っていました。

現在の太陽系は第二紀太陽系で、第一紀太陽系では、地球が第一惑星であったこと、現在の地球の科学よりも進んだ二つの惑星が地球の外側に存在していたこと、この二つの惑星が星間戦争で消失したこと、筆者はその内容を十三歳の尚（しょう）を主人公にした物語に仕上げました。

もし、読者が読後に読者の心琴に共鳴するものがあれば筆者の魂は読者の心の中に生き続けていくと思います。

物語を語る前に、主人公尚の住む神海島（かみうみじま）の状況と背景の描写から始めたいと思います。

神海島のくらし

読者も神海島（島の人は神生（かみう）む島と呼ぶ）の背景と状況を頭に描きながら読み進めて下さい。

神海島は南北に細長い島で二千人余りの島民が暮らしている。島は三区分化され、島の半分を占める北部は、亜熱帯植物の生い茂る森で、島の人は霊山と呼んでいる。中央は住宅と公共の建物がある。南部は中央より一段と低くなった平地で農地と村立の小中高の学校がある。学校の西側には自然の入江があり、漁港として利用されています。港には二〇隻のサバニと本島を行き来するための三十五人乗りの村営の船が一隻停泊している。

神海島は食料自給自足一〇〇%の理想郷でもある。

島の南部の平地と住宅地の間に神海(かみうみ)タッチューと呼ばれる岩山があり、島人は神山(かみやま)と呼んでいる。その神山の北側の麓に洞があり、島人の納骨場所となっている。また、洞は太陽が放つ陽の気を濃縮する気溜まり所でもある。この気溜まり所の扉は三月に行われるニライ・カナイ祭の時の一度しか開かれない。その時に、島で亡くなった人のお骨が全部納められる。納骨場所は男女別々で左側が男性、右側が女性と分けて納骨する。

洞の前に、ニライ神殿が造営され、建物は横幅が五〇メートル奥行きが十メートルもあり屋根は赤瓦で葺かれ、板壁は赤く塗られている。建物は三つに区切られている。右側は神事に使う道具部屋に、左側は祭祀のときに現れる太陽の神様と月の神様の休み所となっている。中央の部屋はニライ・カナイ祭のときだけ使用する祭場であり、気溜まり所の洞とは渡り廊下で繋がっている。

神殿の中央からアーチ型の庇が伸びていて、庇の先の二本の支柱には金色の昇り竜が巻きついている。庇の屋根の中央には、羽を広げた白い宝王鳥が今にも飛び立つかのような姿で置かれている。頭には鶏冠があり扇のように広がっている。鶏冠の表面には宝貝を細かく切って貼ってあって、太陽光が当たると鶏冠は光り輝く。

竜の支柱から下に三段の階段があり左右七〇センチの高さの石の台座の上に彫刻された亀が乗っている。宝王鳥と竜と亀は三位一体の神の使いといわれている。（三位一体という言葉は物語の中で重要な意味を持つので読者も頭に刻み込んでおいてください）

神殿の前は神庭と呼ばれ全体に海砂利が敷かれている。周囲には神木とされる琉球松が植えられ、松と松の間には生垣として赤花が植えられている。

神庭の入口には赤い色の鳥居が立っている。赤い色は陽の気と太陽の神様の象徴の色である。境内は男の象徴でもある神海タッチューから流れる陽の気が満ち、男達の聖域とされ、祭祀の時に奉納される武術、芸能の練習場所にもなっている。

赤い鳥居から北へ幅七メートルの石畳の道が住宅地の真ん中を貫いている。北の精霊の森と住宅地の境には黄色い鳥居が立っている。黄色は陰の気と月神様を象徴する色である。

黄色い鳥居から奥の境内は女性達の聖域となっている。鳥居をくぐると幅五メートル長さ三〇メートルの海砂利を敷き詰めた神道があり両側には神木の琉球松が片側七本ずつそびえ立っている。この神道の左側の中央には霊山へ続く細い道があり、その入口には小さい御嶽が設置されている。

霊山に入れるのはノロ頭が任命したヤマンチュ（山人）に限られ、山は道が険しく、ハブ・イノシシ・山猫等が生息している危険な場所なので訓練を受けた山人しか山に入れない。山人でも御嶽でノロ頭の安全祈願を受けた後でないと入山出来ない。

山人の仕事はマキの調達と、村ではいまだに食事の煮炊きや風呂屋の燃料にマキを使用しているために週二回は山に入る。また、外に季節季節に実る果実の収穫と、祭祀の料理に使うためにイノシシの捕獲も行い、たまに山猫の捕獲も行う。村では一家に一匹は猫を飼っているが、猫が死んだり、老衰でネズミを捕まえることが出来ない家のために山猫を捕獲することがある。

村人は猫をネズミ捕りの目的だけで飼うのではなく、それ以上に重要視しているのが、子供たちの動物への愛情を育むための役割としてである。子供たちは猫と触れ合うだけで動物全体に愛情を持つ。

松並木の神道の突き当りに、三段の階段があり、その上は幅・長さ三〇メートルの正方形の海砂利を敷き詰めた神庭があり両側には松が高くそびえ立っている。

神庭の北側に洞窟があり、その中にカナイ神殿が造営されている。洞窟の入口には黄色に塗られた高さ三メートル・幅二メートルの観音開きの鉄の扉がある。洞窟は女性の胎内にたとえられ神聖な場所として男子禁制である。ただ、例外があり、神海島では島独自で行う成人式があり、十三歳になると大人とみなされ洞穴内で成人式が行われる。その時だけ男の子も入洞がゆるされる。

成人式を終えた男女は、三年間祭事の見習い修行に就く。

黄色の鳥居から中通りに出ると、左側にノロ屋敷がある。敷地は三百坪で周囲を石垣で囲っている。

入口を入ると石畳の中庭があり奥にノロ御殿があり、神様を煩わさない行事「出産祝」「七・五・三祝」「結婚式」「葬式」等はノロ御殿で行われる。中庭の右側の建物は祭祀のときに神様へのお供物と島民に振る舞う料理を作る台所と休憩所と調理道具を収納する部屋がある。

中庭の左側にある屋敷には主人公尚と尚の兄の憲とノロ頭である祖母の教と次席ノロの母芳と曾祖母の信の五人が住んでいる。

ノロ屋敷の向かいには、村役場・集会所・村長の住宅が一つの敷地に建っている。

ノロ屋敷の南隣には、保育所があり、〇歳から六歳までの子供を預かっている。

保育所の向かいには、共同店舗があり、中の商品はすべて無料である。島内では仕事に対して金銭のやり取りがないために、食料品・電器製品・衣類等生活用品はすべて無料になっている。自給自足一〇〇％の島民にとって金は必要ない。生活に必要なものはほとんど自分達で調達している。

保育所の南隣はマキの集積小屋で、誰でも自由に貰える。

マキ集積所向かいは風呂屋になっていて一度に五〇人は入れる。もちろん無料。

マキ集積所の南隣は、消防署があるが一台ある小型消防車は、今まで一度も出動したことがない。

消防署の向かいには診療所があり、島出身の男医師が一人、女医師が一人、男の看護師が一人、女の看護師が一人計四人が働いている。島民は病気で亡くなる人はいなく、皆九〇歳以上の天寿をまっとうする。

診療所には、歩けなくなった長寿者が暮らす部屋がある。長寿者はその部屋で天命を待つ。身内は子供から年寄りまで代わる代わる部屋を訪れ話し相手になったり、食べ物や果物を持ち寄ってくる。身内は最期を迎える長寿者に、最後の思い出を持たせたいのだ。亡くなっても身内は悲しまない。

ニライの神様からもらった魂はニライの神様の懐へ戻ると信じているからだ。亡くなると南端にある火葬場で火葬し骨壺に納めノロ御殿に持ち帰り、島民皆で最後のお別れをする。その後、遺骨はニライ神殿の拝所の安置所に納める。遺骨は春のニライ・カナイ祭が終わって陽の気留所にある扉が閉まる前に洞内に設置されている納骨所へ骨壺から出して先祖骨と一緒にする。亡くなった魂は神海タッチューを通って天へ帰る。

消防署の南隣には、女衆が布を織ったり着物に仕立てたりする作業場がある。村人の衣服はすべてここで作る。

女衆の仕事場の道向かいに男衆の仕事場がある。男衆の仕事は、竹や木材を使って日用品を作るのと、三〇年に一度建て替える鳥居や竜柱・宝王鳥・亀の彫刻を完成させること。

男女の仕事場と境内の間に幅五メートルの道があり、住宅側にも道沿いに松が植えられ、松並木は緑のトンネルとなって、低地で仕事を終えた人達に冷たい霊気を降りそそぎ体の疲れを癒やす場所になっている。

東村と海の間には色々な種類の竹が植えられている。竹は村人にとって万能な植物で多くの恵みを受けている。小さい時は、竹の子として食料になり、大きくなると防風林となり、竹垣にも使われ、子供の遊具になり、竹製品では、すだれ・箸・カゴ・ザル・弁当箱・物干し竿・釣竿等に使われ、使われなくなった竹は燃料として役目を終える。

西村と西海岸の間には、桑の木が植えられている。桑の葉はカイコのエサになり、実はジャムの材料として重宝している。

境内の東側と西側には低地に下りる階段がある。

東側の階段を下りると、すぐ左側にはニワトリ小屋がある。小屋の入口は台風以外は開けたままで、放し飼いにされている。それでも、ニワトリは小屋に敷かれたワラの上に卵を産む。雄鳥の朝の鳴き声は村中に響きわたる程のカン高い声で、その声で村の一日が始まる。

ニワトリ小屋の隣にはヤギ小屋がある。ヤギも放し飼いにされ、長い浜と畑の間の雑草を食べさせることで人手をはぶいている。また、ヤギの乳はチーズにして村人の重要な食料になる。

ヤギ小屋から東側は遠浅の浜で貝やアーサ等が豊富で村人の味噌汁の具としてかかせないものとなっている。

東側の階段から下りて右側には、芭蕉から繊維を引き出し、糸に紡ぐ仕事場と、カイコのまゆから糸を紡ぐ仕事場と、それを織る機織り機が置かれた小屋がある。

小屋の左側は神海タッチューの真下で一メートルの高さから湧き水が吹き出している。その下には溜め池が設けられ、池の周りには、収穫した野菜を洗ったり、汚れた手足を洗ったりする洗い場が作られている。湧き水は一年中涸れることがなく、溜め池から溢れた水は畑と果物畑の真ん中を流れる小川となって、畑や果物畑をうるおしている。

村の食卓は、山の幸、海の幸、畑の幸、果物畑の幸と食材が豊富で自給自足一〇〇％の理想郷を形成している。

溜め池の西側には、蚕小屋と農機具を収める小屋がある。

農機具小屋の左は、村に上がる階段があり、その左には発電機小屋がある。

以上が神海島の状景である。

島の状況

次は島の状況を描写していきたいと思います。

島の権力はノロ頭が握っている。

尚の祖母であるノロ頭の教は長男である村長の友（ユウ）おじさんより権力は上になっている。

本来、神海島では神人頭が支配権をもって統治する習わしがあるが、神人頭であった祖父の誠修はサバニ漁に出て遭難して亡くなり、跡を継いだ父の孝（タカシ）も海難事故で亡くなったために祖母が権力を継いでいる。

ちなみに、尚の母の芳は次席ノロとして次のノロ頭を継ぐことが決まっている。神人頭を継ぐのは代々ノロ頭が自分の産んだ男の子から指名する。それが次男三男であっても別の兄弟は口をはさめない。

尚の父は次男であったのに教の指示で神人頭に選ばれていた。


島には、イチジュネー（一集根）という生活様式がある。五百坪の石垣で囲まれた敷地には四家族が共同生活をしている。

それぞれの家族は東西南北に入口を持つ八〇坪の母屋に住み、中央の百坪の食堂で共同で食事を作り、一緒に食事をとる、お互いに助け合うという制度である。

一集根という意味は四つの根子がひとつの大木に育つようにという意味がある。

一集根は血縁の遠い者同士の家族が生活する。それは、他人を思いやる心を育てるという、代々のノロ頭の趣旨によるものである。

一集根の家族の朝は台所に集まり、カマドの灰の中に埋もれた火の子（種火）を掘り起こし、枯れた竹をくべて火を起こしウコウ（松の粉と香木の粉を松脂で練った平御香）に火の神を移しカマドの奥に設置してある香炉（ヒヌカン）にウコウを立て、香炉の前に湯飲み茶碗に入った水をお供えした後、水の神とウコウの火の神と松の精霊の三位一体の神様に一日の家族の安全と無事を祈るのが日課になっている。

村人にとって火の神と、水の神と、精霊は一番身近な神様なので個人的な願いはヒヌカンを通して願う風習がある。

四家族は朝食を終えると、それぞれ年齢にあった仕事に就く。村では十八歳から四十九歳までを若者（ニーセー）と呼び五十歳以上を長老と呼ぶ。若者の仕事の多くが畑仕事だが、海人（うみんちゅ）の若者は火・木と二日間だけサバニ漁に出て午前中に取れた魚を共同店舗に並べて村人に無料で提供する。山人（やまんちゅ）の若者は水・金の午前中を山に入りマキの調達に費やす。若者の女性は畑仕事と蚕の世話と芭蕉と蚕の糸紡ぎに従事する。若者達は午前中で仕事を終え、収穫した野菜や果物を店舗に並べて村人に提供する。若者達は午前中の仕事を終えると、一集根の屋敷で昼食を取り、昼食の後、村内にある仕事場で、それぞれ得意な仕事に就く。

五十歳以上の男の長老達は午前中を神殿の掃除と村内の掃除に充てる。午後は風呂屋の釜焚きと大人見習いの若者に竹製品の作り方や彫刻の指導を行う。

長老の女性達は保育所の子供の世話と診療所に入院している長寿者の世話や一集根の家族の食事の世話に時間を費やす。村人は午後の仕事をほとんど三時に終え、後の時間は歌を歌ったり、三味線を弾いたり、踊りを踊ったり、祭祀に必要な習い事をする。その後、風呂に入って夕食を取るのが六時頃になる。夕食の後は、午後七時から始まる村営の有線テレビが終わる一〇時まで見てから就寝する。

島には長子相続という制度がある。生まれた第一子が男であれ女であれ、長子が家を継ぐことになり、第一子が男であれば島外の島出身の女の子を嫁として迎え、第一子が女の子の場合は入り婿として島外から迎え入れる。この制度は島の人口を自然と共栄共存できる人数に抑えることと、島の血を活性化するための制度である。

入り婿入り嫁は七・五・三のお参りに来た七歳の子供からノロ頭が指名する。指名された両親は島外の島人（しまんちゅ）から神人（かみんちゅ）と呼ばれている神海島の住人に自分達の子供が選ばれたことは大変な名誉で、両親はたえず島の祭祀に子供と参加して、島の神人になることがいかに大切なことかをたえず教育する。

小学校を卒業した選ばれた子供達は、島の子供と一緒に洞窟内のカナイ神殿の前で成人式に参加する。成人式を終えた島外から来た子供達はそれぞれの許婚先の一集根の別の家族に高校卒業するまで預けられる。六年間は見合い期間で、その間、どちらかが異議を申し立てたら婚約を解消することが出来る。しかし、今まで一度も婚約を解消したカップルはいないという。

カップルは高校を卒業すると、ノロ御殿で合同結婚式を行い、晴れて夫婦になり、それぞれ婿、嫁として家族の仲間入りをする。

入り婿の場合は、その時点から山人の仲間入りをする。島出身の男性は生まれた時点から海人になる宿命を担っている。

村の第一子以外の子供は島外の大学に進学する。その学費と生活費はノロ頭が負担する。その代わり、就職すると給料の三％はノロ頭に返済しなければならない。ノロ頭はその金を管理し、島で作れない電化製品等の購入費に充てたりする。

島には余所者の来島を嫌う風潮がある。そのために、島には宿泊施設や定期船も無く、派出所・銀行・郵便局もない。

毎朝、村有の船で郵便物、新聞、店舗に不足している商品を本島から取り寄せる。島出身の人が来島するにもこの船が利用される。

島には沢山の祭りがある。

大きな祭りが春のニライ・カナイ祭と秋のニライ・カナイ祭だ。この二つの祭祀にだけ太陽の神様と月神様が登場し、村人に祝福を与える祭りだ。春のニライ・カナイ祭は生魂祭、または種蒔き祭とも呼ばれている。

この祭りは、神海タッチューの洞の中の太陽が放つ陽の気溜まり所の扉と、洞穴内のカナイ神殿にある月が放つ陰の気溜まり所が同時に開かれ、島の上空で二つの気が交じり合い、それを霊山の精霊が包み込み三位一体の魂を形成して、島で生まれるありとあらゆる生命の魂になるといわれている。

秋のニライ・カナイ祭は収穫祭とも呼ばれ、春に蒔かれた魂の種が食物の中で大きく育ちその魂を人は食して、自分の魂をより大きくするという食物への感謝の祭りだ。

その他の祭り、エイサー祭り、盆踊り、ハーリー祭、大綱引きの祭りは、島人が神様の与えた魂のこもった食物をいただき、より大きく清らかな魂と健康な身体に成長したかを神様に披露し感謝する祭りだ。

以上が島の状況になる。

次から尚の物語の幕が上がる。

島の教育

ノロ屋敷には尚の曾祖母信(のぶ)とノロ頭の祖母教(きょう)と次席ノロである母芳(よし)と三歳上の兄憲(ケン)と五人が住んでいる。

信オバァは七〇歳を過ぎてもチュラカギー（美人）で尚は村一番の美人だと思っている。

信オバァのノロ頭時代は、祭祀を完全にこなす、美人でカリスマ性があってノロに対しての指導は厳しく、特に跡継ぎである嫁教に対しては小さな失敗も咎めていたという。
それに対して祖母の教は観音菩薩の生まれ変わりだと村人に言われる程、いつも笑顔を絶やさず人を怒ったり咎めたりした事が一度も無いと言われる程温和な性格をしている。そのために尚の母芳は次席ノロという重要な立場にいるのにもかかわらず重圧を感じること無く務めを果たしている。

信オバァは教の心の広さに自分に無いものを感じノロ頭を退いてからは祭祀に一切口をはさまなくなった。それでも、信オバァは村人から尊敬され、御信様（おのぶ）と呼ばれている。

尚は信オバァが大好きで、寝るときはいつも信オバァの部屋にいた。

尚は寝る前に信オバァが話すおとぎ話が大好きだった。ただ、同じ話でも二度目のときは別のストーリーになっていたりした。浦島太郎の話は二度目のときは、亀が亀の形をしたＵＦＯになっていたり、竹取物語のかぐや姫は月にあるＵＦＯの基地にＵＦＯで帰る話になったり、一寸法師は嵐で流れついた村が巨人の村で、自分の身体が縮んで一寸法師になったと勘違いしたというような話になったりした。

尚が信オバァの話で面白いと思ったのは、石の話だった。

畑を耕すと小石が現れる。それを石が生まれるという。石は浜と畑の間に埋められ、百年・二百年経つと大きな石に成長する。

石は男石（ウイシ）と女石（ミイイシ）に成長して、男石は硬い石で敷石に使用される。女石は軟らかいでこぼこした石で、石垣にするとでこぼこした所が絡み合い年数が経てば経つ程台風に強い石垣に成長する。

石にはチュラカギー石とヤナカギー石がある。チュラカギー石は宝石として人々に愛され、ヤナカギー石は小さい時は石塊（イシコロ）として扱われるが大きく成長すると、神海タッチューのように霊魂の宿る神山にもなる。

また、金属を含むすべての石は、雨に打たれると小さな魂になって土や川や海に流れ、その魂は草や木や果実や海藻の魂になり、その魂は食した動物の骨や肉になる。人はすべての石の魂を取り込んで、初めて完璧な人に成長する。人は一つの石の魂を取り損なうと不完全な人間に育つ。と信オバァから教わった。

木の話も面白かった。

木には、精霊と水の神と火の神が宿り、大きくなればなる程霊力が増し神木となる。神木は人や動物や火が放つ悪気を浄化する力があり、村は神木である松の霊気の加護により人々は病気にかかる事無く健康に暮らせている。

森の木に宿る水の神は、森を水の貯水池にして生きる物の命の源を保護している。木の中の火の神は、木が生きている間は静かに眠っているが、木が生命を失うと、火の神が目覚め、人々の暮らしの煮炊きとして恩恵をもたらす反面、気難しい神様で人々が敬う心を持って接しないと災いをもたらす、と信オバァに諭すように言われた。

ティダの子の誕生

尚は四歳まで普通の子として育った。

それが、突然五歳の五月六日の誕生日に、ニライ神殿の前で、神庭に集まった村人の前でノロ頭である教が、尚はティダの子であると宣言した。神庭から歓声が上がり、手拍子と口笛が鳴り渡りカチャーシーの輪が庭中に広がった。

尚には、何が起こったのか理解出来なかった。

家に帰ってから母が衝撃的な言葉を口にした。尚は今日から独り立ちするようにと言われ、一人部屋をあてがわれた。それは信オバァの部屋で寝ることを禁じられることでもあった。信オバァも、これからは自分で考えて行動するんだよ、と言って尚を抱き締めた。尚の自立は信オバァにも寂しい出来事かも知れなかった。

ティダの子と言われた後も、尚に何の変化も起こらなかった。ただ、自分が太陽の子だと伝えられた後、太陽はどのようにして子供を産むんだろうかという馬鹿らしいことを考えた。その馬鹿らしい事を信オバァと教オバァと母に訊いても、尚が特別な子だと神様から伝えられたとしか言わなく、疑問の解決に繋がる答えは得られなかった。

尚が特別な子として与えられた初めての務めは秋のニライ・カナイ祭だった。

ニライ・カナイ祭 一

それまでのニライ・カナイ祭では、信オバァの隣で椅子に座って、儀式をただ眺めているだけだった。

それが、今度、太陽の神様と月の神様を神庭の中央で迎える大役を与えられた。

洞穴の黄色い扉が開き両神様を正面から見たとき、神様は巨人だった。

椅子に座って眺めていた時は、神様も男神も高い人としか見ていなかった。

真正面から見た両神様は一メートル九〇センチはある男神役の友おじさんの遥か上だった。

太陽の神様は額に赤い太陽の印がある仮面を着け、月神様の仮面には黄色い月が印されていた。

両神様が並んで尚を見下ろしているのを見ると、まるで空の上から赤と黄色の目に覗かれているような感じがした。

尚は不思議な感覚の中、母に前もって教えられた通り無事に祭祀を終えた後、周りからすごく褒められたが、尚の心に残ったのは神様は巨人で無口な仮面の神だとしか印象になかった。儀式が始まってから終わるまで、神様達は一言もお互いに言葉を交わさなかった。

尚はその後も年二回のニライ・カナイ祭を無事にこなしたが、神様への印象が変わることはなかった。

尚は小学校に入学して、島独自の二つの教育方針があることを知った。

まず、一年生から四年生までは図書館の利用を禁じていることだった。これは代々ノロ頭の方針で、四年生までは知識の詰め込みは情緒の育成の妨げになる。との思いからだった。二つ目は、夕食後七時から九時までの二時間を夜遊びの時間として雨が降らないかぎり、外で遊ぶことを義務づけていた。

太陽の光が肉体の成長を促す要素であるのに対して、月の光は魂の育成に欠かせないもので、それも一番感受性の豊かな一年生から四年生の間を魂の養成期間と定めていた。

尚は、憲兄さんが夜遊びに出るのを、いつも羨ましく思っていたが、やっと自分も夜遊びが出来るんだという意気込みで初日を迎えた。

屋敷から大通りに出ると、そこは別世界だった。月の光は暗闇の世界から大通りを舞台とし、薄い照明は、まるで子供達が幻想の中で遊んでいるかのような不思議な世界を演出していた。兄は尚を独りで遊べる竹馬の置いてある場所に連れてきた。そこには一年生が多く集まっていた。最初は独りで遊ぶことから始め、徐々に友達をつくり、色々な遊びを増やしていったらいいと、兄が教えてくれた。

そんな中、尚は驚愕の時間に遭遇した。毎週、土曜日に行われる四年生が語り部になって話す、お話し時間があった。その夜は、兄の憲が語り部になっていた。

その夜は、月が雲にかかり、闇と薄明かりを繰り返す舞台は、話の内容を知らない一年生を恐怖に落とし込む最高の舞台になっていた。

憲の話は、旅人が山奥で道に迷い、見つけた一軒家にはお婆が独りで住んでいて、旅人を快く迎え入れ、夕食までご馳走するところまでは、尚は、きっと、旅人の恩返しの話だと思った。しかし、旅人が寝静まったところから兄の声が急に陰にこもった声になった。そして、お婆が包丁をシュウシュウと音をたてて研ぐ場面にきて、尚は耳を塞いだ。よからぬ事が起きる予感がした。包丁を研ぎ終わったお婆が襖を、そっと、開けて旅人の側にくると包丁を高く振り上げた時、旅人は目を覚ました。「旅人は見た」と憲兄さんは声を落とした後「お婆の口が赤く大きく裂けていた！」と大声で叫んだ。それに呼応して、一番後ろの上級生達が「口裂けババァが出た！」と叫びながら一目散に逃げ出した。残された尚をはじめ一年生達は恐怖に立ち竦んでいた。そして、一人が泣き叫びながら家の方へ走り出すと別の一年生も一斉に泣きながら家の方へ走り出した。

尚は、兄が自分を置いて屋敷に走り出すのを見て、自分一人が取り残されていく恐怖で大声で泣きながら兄の後を追ったが、兄は振り向きもしないで屋敷の中へ消えた。

尚は足が竦み体が宙を浮いているようで中々前に進まない、尚はそれを後ろ襟を口裂けババァに捉まれているせいだと思い恐怖心が足をより遅くした。泣きながらノロ屋敷に飛び込むと家の入口に母が立っていた。

尚は母の懐に飛び込んだ後も動悸が鳴り止まず、ずっと抱き付いていた。

「尚、世の中には沢山怖い事があるのよ。色々、怖い事を乗り越えないと強い大人にはなれませんよ」母はヒザを折って、尚と同じ目線で話した。

「次は泣かないよ」と尚は応えた。

次の土曜日、尚は泣いて帰った。

前回の鬼ババァの話より怖い幽霊の話だった。尚は泣いて屋敷に飛び込んだが入口に母はいなかった。

神海島は平和過ぎて子供達に怖い思いをもたらすものが何も無かった。恐怖心を経験しない子供は大人になっても自己防衛本能が育たないという考えから生まれた小学校入学時の恐怖体験教育だった。

尚は恐怖体験にも慣れ、祭祀以外は他の子供達と同じ自然と共栄共存するための体験学習を行った。オバァ達と一緒に乳搾りに挑戦したり、東浜でアーサと貝を取る手伝いをしたり、蚕の飼育の仕方を学んだりした。

オジィ達からは、魚の釣り方や季節ごとに植えなければならない野菜類や穀物の種類とか、色々習う事が多くて、あっという間に四年が過ぎた。

尚が四年間で一番好きな学習は鳥籠作りだった。鳥籠は、小鳥が卵を産むためのもので入口に扉はなかった。

一集根の屋敷の庭には必ず一本は大きなシークヮーサーの木が植えられている。シークヮーサーの実はジュースや調味料として重宝され、木陰にはテーブルと椅子が置かれ、オジィ・オバァの三時茶の休憩場所になっていた。

子供達もオジィ・オバァと一緒におやつを取るのが習慣になっていて、テーブルの上では小鳥と猫も一緒に食事をした。

島の子猫は目が開くとすぐテーブルの上で小鳥と一緒にエサを食べるように育てられたために、猫は小鳥を家族として認識するようになって、決して小鳥を襲うことがなかった。ただし、カラスやサシバみたいな猛禽類が屋敷に入ってくると勇敢に襲いかかっていくために、小鳥達にとっては猫は守護者でもあった。

尚は鳥籠を四年生の間に四つも作った。その鳥籠はノロ御殿の軒下にぶら下がっている。

ノロ屋敷には、二つの大きなシークヮーサーの木があり、その下には三時茶になると家族と他にノロ修行の若い女の子達が大勢集まるので、いつも賑やかだった。小鳥達も賑やかさに負けないように囀る。

尚には鳥達が音楽を奏でているように思えて、一日で一番好きな時間だった。

尚は五年生になって、初めて図書館への入館が許された。

図書館の膨大な本は尚の疑問に答えを与えるどころか、疑問をより深くするものが多くあった。

その中の一つが地動説だった。本の中では、天動説は科学に無知な時代の遺産だと書かれているが、尚の頭の中では未だに天動説を支持していた。夢で見る光の道のことも、臨死体験をした人によく起こる現象だと書かれている。しかし、尚は一度も臨死体験をしていないのに、光の道の夢をよく見る。

尚を長く悩ましているのが、神の問題だった。一番ショックだったのは、神海島の自然崇拝が原始宗教で迷信の中から生まれたと断定され世界中から消えつつあるということだった。それに変わって人格神の神様が主流になっている。

しかし、尚はどうしても人格神宗教を肯定することが出来なかった。そのおもな理由が現在までに起こったさまざまな宗教戦争において、どの人格神の神様も相手に神罰を与えて勝利に導いたという証拠が無いからだ。どちらかの神様が真の絶対神であれば、奇跡を起こし天罰を与えることが出来るはずなのに、どの神様も奇跡を起こしていない。

この奇跡を起こしていないことに対してさまざまな説があった。

—神は死んでしまった—

この説では神にも寿命があったことになる。

—神は宇宙人だった—

地球の遥か彼方に超文明が存在し、宇宙空間を探査するために無数の宇宙船が宇宙空間に飛びだした。その船団の一つが地球に飛来してきた。その時、地球は原始人時代で科学の知識が皆無だったために宇宙人は神の存在だった。宇宙人は友好的で原始的知識しか無い地球人に天文学、数学、医学、建設等を教えながら、次の星への探査に必要な物資を地球人と一緒に調達した。地球の探査と物資の調達を終えた宇宙人は再び宇宙へと旅立った。

宇宙人の残した知識と、宇宙人の話した超文明の母星の話が神々が住む天国として伝説や神話として残っている。

―神は古代のＳＦ作家が考えた物語である―

今でいう、ＳＦ作家の思考を持った人間が文字の無い時代に生まれ、そのＳＦ的思考を口伝物語として語り伝えたものが後に神話や教典として神性化していった。

―神は、人間によって創造された―

古代、科学に無知な古代人が自然災害の驚異や恐怖から最初に想像した神が自然崇拝の神々で、神の原点だった。

太陽、月、星々の存在、台風、火山の噴火、地震、日蝕、月蝕と、古代人には理解不可能な現象を擬人化した神を創造することで自然の驚異と向き合っていた。

そして、古代人は自然神と向き合う特別な神官、神使、神司を兼ねた指導者を誕生させた。やがて指導者は王となり民衆を支配するようになると、自分の権威付けのために、自分は神の生まれ変わりだという伝説を創り始めた。

それは、人格を持った仮想神の誕生でもあった。

現在でも、仮想神を信じている民衆は、現代科学で神の存在が証明されていないにも関わらず仮想神を捨てることが出来ないのは、神を捨てると自分達が選民民族であることを否定し、犬、猫並みの動物にすぎないという恐れから、脳内に深く組み込まれた仮想神の選民意識暗示から抜けきれないないからだ。

歴史の中で、神を騙る権力者が残虐な行為を行えたのは、権力者が神は仮想神で何の力もないことを熟知していたからだ。

ニライ・カナイ祭　二

　尚が神は、人間が創造した仮想神であると考えたのは小学校最後の春のニライ・カナイ祭にあった。祭祀は今までにない色々な変化があった。まず、祭事に携わる人選だった。例年だとカナイ神殿の神庭に参加する神男（カミイキガ）、神女（カミイナグ）は島外の島出身者から選ばれた。

それは、島外に住む島人との繋がりを深めるためだった。

それが、今年の神男、神女に選ばれたのは親族だった。

異例な事で、尚は最初から今年の例祭が特別な祭祀になる予感がした。

今までの祭祀で、親族は神様のお供え物や参加者にふるまう料理を作ったり、式次第の進行役等裏方の仕事に徹していた。

尚は改めて、親族の顔を眺めた。

尚の右側に並ぶ神女の先頭には、ノロ頭教の母かまどぅ、二番目には信オバァの娘かずこ、三番目からは、ノロ頭教の姪ひさこ・ひろこ・せつこ・さとえ・そのこと続いていた。

尚の左側の神男の先頭には、かずこの夫ヨシアキ、二番目からは教の甥ヒサオ・シュンイチ・ツトム・ミノル・マナブ・ヒロシという顔触れだった。

神庭と下界との境目・結界を守る神男にはかまどぅの息子でノロ頭教の弟ノブタダが選ばれていた。ノブタダは神棒を持って、住宅地を向いて邪気の侵入を防ぐ役だった。

ノブタダと背中合わせに、妻のゆみこが両手で黄色の笏(しゃく)を持って立っていた。

そこも、例年と違っていた。

例年だと、結界を守る神女は松の小枝を持っていた。それが、今回月神様が持つ黄色い笏をゆみこおばさんが持っていた。

例年と違う雰囲気の中、尚は前に立つ母の後ろ姿に目を移した。

衣装は例年と変わらず白い絹の神衣を着け、その上からもう一枚上衣を羽織っている。頭のカンプーには、蘇鉄の葉を半分かさぎ、赤く染めてカンザシとして挿している。それはあたかも火の鳥が大空に羽ばたく姿を表していた。その時間、ニライ神殿にいるノロ頭教のカンプーには金色の蘇鉄のカンザシを挿している。神女のカンプーには、白い蘇鉄のカンザシを挿していた。

白いカンザシは宝王鳥を、赤いカンザシは火の鳥を、金色のカンザシは不死鳥を表現しているといわれている。

宝王鳥は成長するにしたがって火の鳥に、そして、不死鳥へと進化する神鳥である。

扉の右側には、友おじさんが尚の方を向いて立っている。扉の左側には、兄の憲が尚の方を向いて立っていた。

祭祀は一〇時から始まる。

一〇時になると、扉の中央におじさんと兄が歩み寄り、おじさんが持っている火寄せ縄に、兄が持っている火打ち石で神聖な火を起こし縄に移す。縄に移った神火は母の持っている太いローソクの芯に移す。その後、おじさんは観音開きの扉の右側の取っ手を握る。兄は左側の取っ手を握り、二人で扉を左右に開く。

母は開いた扉に入り、踊り場の突き当たりの左右に設置されている燭台の上のローソクに火を灯す。その後、母は踊り場を左に曲がり尚の視界から消えた。母が見えなくなると、おじさんと兄が扉を閉じた。黄色い扉が尚の視野を塞いだ。

例年だと十五分もすると、洞穴の中から太陽の神様と月神様が現れた。しかし、現れたのは太陽の神様だけだった。

今回、尚は高下駄を履いていた。

一週間前に、母から二〇センチの高さがある高下駄を渡され、階段の上り下りと歩く訓練をさせられた。はじめは歩くのに精一杯だった。しかし、歩くのに慣れてくると、

カナイ神殿・神庭人物配置図

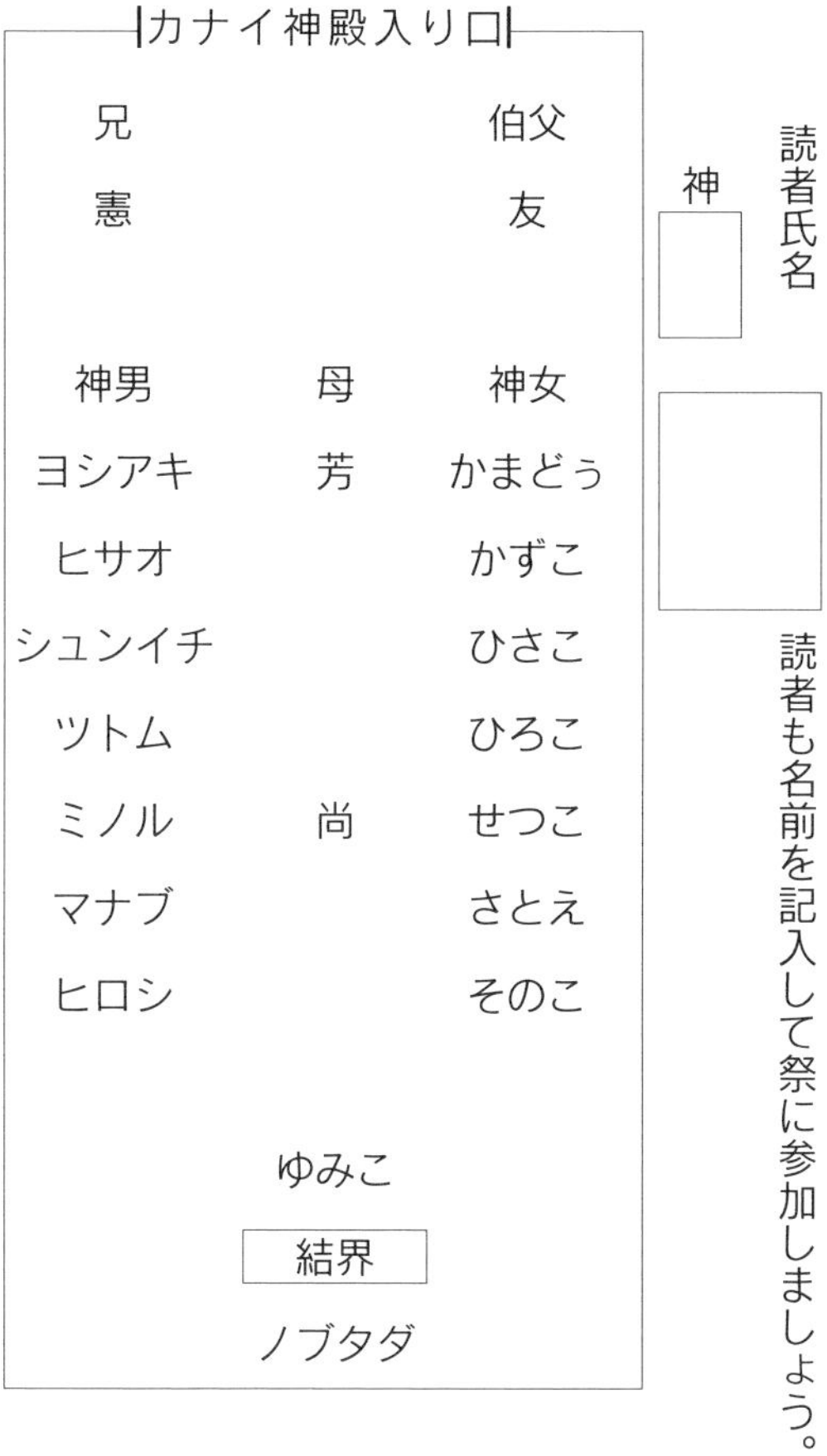

カナイ神殿入り口

兄		伯父
憲		友
神男	母	神女
ヨシアキ	芳	かまどぅ
ヒサオ		かずこ
シュンイチ		ひさこ
ツトム		ひろこ
ミノル	尚	せつこ
マナブ		さとえ
ヒロシ		そのこ

ゆみこ

結界

ノブタダ

神

読者氏名

読者も名前を記入して祭に参加しましょう。

高下駄を履く意味が予想出来るようになった。

巨人と思っていた神様も、きっと、高下駄を履いているに違いないと判断出来た。

今、目の前にいる太陽の神様と尚の背の高さはさほど違わなくなっていた。

この時、巨人の神様は仮想神だと尚は確信した。

それでも、尚は疑惑を顔に出さず太陽の神様と並んで結界へ向かった。

太陽の神様は相変わらず無口で、一人だというのに何の動揺も見せなかった。

尚が結界の前で立ち止まると、結界の前に立っていたゆみこおばさんが尚の前に来て、手に持っていた笏を尚に手渡した。

本来、月神様が持つ笏を手渡された尚は複雑な気持ちになった。

今年の祭祀が例年と違うのは、もしかしたら、月神様の役を自分に引き継がせるための特別な儀式なのかなと尚は考えた。

尚が妄想にひたっていると、結界を守っていたノブタダおじさんが神棒を頭上で三回回した。それが合図のように、ニライ神殿からホラ貝の音が高く鳴り響いた。

ホラ貝の音は、ニライ神殿の奥の陽の気溜まり所の扉をノロ頭教が開いた合図だった。その合図で洞窟内の陰の気溜まり所の扉を次席ノロの芳が開き、陰の気を解放する儀式であった。

ホラ貝の音が止むと、神道に三列に並んでいた小学生の二列から小太鼓と鉦の音がなり響いた。尚の右側には、小学生の女の子達が宝王鳥の冠をかぶり手に持っている小太鼓を打ち鳴らし、左側の小学生の男の子達は頭に亀の冠をかぶり手に持っている鉦を打ち鳴らしていた。真ん中の竜神をかつぐ六年生の男の子は竜頭を尚の正面から大通りの方へ方向転換して胴体をうねらせながら進んで行った。

三列で進んでいく小学生達の三位一体の先触れの後を尚は太陽の神様と並んで歩いていった。

大通りの両側には長老たちと童が、先触れの子供達と神様と尚を待っていた。

尚は去年までだと、両側のオジィ達を見上げる形で歩いていたのに、今日はオジィ達を見下ろして歩いていた。

例年だと尚と神様の後に母とおじさんと兄と神男と神女が続くのに、今日は後ろに女達はいなく、手を合わせていた両側の長老達と童が後に続いてきた。

赤い鳥居の中は、神殿の赤と満開に咲き誇っている赤花の赤が太陽の強い光に照り映えて、まるで太陽の中心に入っていく眩しさを感じさせた。

尚と太陽の神様が神庭に入って行くと、右側の二人掛けの竹の椅子に座っていた一〇〇人の島外からの招待客が立ち上がり大きな拍手で迎え入れた。招待客の席と左側の長老達の席の上には、竹を乗せた日除けが作られていた。

神庭の中央には、赤い砂と黄色い砂と緑の砂で三つの円が描かれ、その三つの円の外側を青い砂で囲んでいる。

青は母なる海を表現し、その中の三つの円は神海島の三位一体の魂を表現していた。

ノロ頭教は、ニライ神殿の日差しの下で尚達を迎えていた。

尚は、青い円の外で迷っていた。

例年だと松の枝を持って緑の円形の中へ入っていった。

尚の戸惑いを見た太陽の神様が左手を笏から離し、黄色の円陣を差した。

そして、神様は赤い円の中へ入った。

尚は黄色い円の中へ入った。

緑の円は空白だった。

尚と神様の後に続いていた長老と童達が東側のこれも二人掛けの竹の椅子に続々と座っていった。

長老と童の最後尾から神男と神女の列が続き、その後に神男四名に担がれた竹の御輿に乗った尚の母が円陣の近くで降り、手に松の枝を持って緑の円の中へ入ってきた。

ノロ頭の教は、尚の母が緑の輪の中へ入るのを見届けると金の小鈴を数個付けた金の棒を両手で握り、頭の上で振った。

その鈴の音で神庭は静まり、教に注目が集まった。

ノロ頭教は鈴の棒を高く天に差し上げて祝詞を奏上した。

祝詞の内容は、神海島に尚という若神が誕生した事、ニライの神様の分身の新しい魂が生まれた事、その魂が大きくなるように村人一同尽くしていく事を誓った。

ノロ頭教は鈴の棒をゆっくり下げ、尚達の方へ向けた。

それを合図に尚と神と母は、笏と松の枝を頭上で合体させた。

三位一体の魂の誕生の儀式だった。

尚は儀式を通して、神海島が原始宗教の自然神から、太陽の神や月神のように仮面をかぶった擬人化した神々に変化し、今日、ノロ頭教が宣言した、尚が若神だという言葉に、自分が人格神に祭り上げられたと感じた。

神海島には、原始宗教の神々から人格神の神へ進化するプロセスがすべてであった。

三位一体の儀式が終わると昼食時間になった。

神庭の中央に描かれていた四色の輪が掃き清められ、その後に赤うるし塗りのテーブルが置かれ、尚は準備された高椅子に座った。向かいに信オバァが座った。

尚は、信オバァに疑問をぶつけた。

自分は神に昇格したのに、何故母達と一緒に食事が出来ないのかを訊いた。

信オバァは、尚が二カ月後の誕生日まではまだ子供で神の資格が無いからだと答えた。

また、今日は尚が神様になる前の御披露目だと言った。

昼食を尚は、二つの日傘の下、涼しい海風に吹かれ、めったに食べられない山シシの肉が入った料理を十分に楽しむことが出来た。

昼食の休憩が終わると、神休み所から太陽の神様と祖母の教と母の芳がニライ神殿の扉の前に置かれた椅子に座った。

尚は、信オバァに促されて母達の所に向かった。

太陽の神様の左側に神様と同じ高椅子が置かれていた。尚は神様の隣の高椅子に座った。尚の左隣には母が座っていた。神様の右隣には祖母の教が、教の隣に信オバァが座った。

五人が揃うと、赤い鳥居の方からホラ貝が高高と鳴り響いた。

それを合図に太鼓を左脇に抱え、それをバチで打ち鳴らしながら一〇人の青年達が招待客の方から尚達の所に回ってきた。その後を三味線を弾きながら一〇人の青年達が入場してきた。その後を指笛を鳴らす青年達と鉦を打つ青年達に挟まれて、子供達が担いでいた竜神の二倍はある竜神がダイナミックに胴体をうねらせ、頭を激しく上下左右に動かし神庭の中央で二〇分も乱舞した後、尚達の前でトグロを巻いて居座った。

鳥居の外でホラ貝が鳴り響くと、鳥居の下を七メートルはある竹の梯子が二つ青年四人に担がれて入ってきた。四人の青年は二つの梯子を庭の中央でやぐらのように組み立てた。別の青年達が倒れないように左右から棒で支えた。やぐらが完成すると、長老達の前に並んでいた太鼓隊が一斉にバチを振り下ろした。

太鼓の音は高くなったり、低くなったりを繰り返し、場の興奮を駆り立てた。その音に呼応して、竜神が再び乱舞しながらやぐらの周りを舞いだした。

竜神が舞い狂っている間に、鳥居から丸抱えはある高さ一メートルの青竹の樽数十個が竜神の外側に並べ置かれた。樽の中には、山シシの油に浸してあった松の枝と枯れた竹が入っていた。

竜神が斜めになった梯子を登り、頂上に登り上がった竜神は首を激しく振り周囲を威圧しながら激しく舞っていると、鳥居から松明をかかげた二人の青年が入ってきて樽の中に火を点けて回った。樽の中から激しく煙が立ち昇った。煙はやぐらを取り囲み、やがて竜神を包み込むように上昇していった。竜頭を包み込んだ煙は天高く空を舞い上がった。

樽の煙が消えた後、竜神はいなくなっていた。

観衆は、それこそ煙にまかれた。

ノロ頭教が立ち上がって、竜神は、今日の事を報告するために、ニライの国へ旅立ったと宣言して、祭りの終わりを告げた。

興奮が冷めない中、長老や招待客は立ち上がり鳥居の近くに集まった。

尚は神様と祖母の教、母、信オバァと一緒に神殿の階段を下り、鳥居の方へ歩いた。

尚は、竜神の消えた空を時々眺めながら進んだ。道を空けている人達の多くも空を眺めていた。

祭りの後、尚は竜神の消えた絡繰(からくり)を兄から教えられた。

兄は、竜神の竜頭を操る役を友おじさんから任され、煙が竜神を包んだ時に、竜頭を胴体の部分の布に裏返しで巻きながら梯子を下り、地上に着いた時には竜頭に巻き付いた裏地が太鼓の色と同じで形も太鼓の大きさになり、煙が薄れる前に太鼓集団の中に紛れ込んで、あたかも竜神が消えたように演出した、と言った。

兄は、友おじさんから、神様の代替わりに行う行事で代々ノロ一族に受け継がれている絡繰だと言われた。

尚は確信した。神は手品や絡繰に優れた魔術・魔法・鬼道集団が創造した仮想神だと。

尚の成人式

五月六日、尚は十三歳の誕生日を迎えた。

四月に行われた同級生の共同成人式には参加せず、誕生日に単独で成人式を行うという。

それも、夜中の三時に。

カナイ神殿神庭にはノロ頭教の身内だけが揃っていた。

黄色い扉の横には、友伯父と兄が尚達の方を向いて立っている。尚の右側の先頭には信オバァが立ち、後に教の長女ようこ・次女なほこ・三女れいこが並んでいた。

左側の男達の先頭にはようこの夫シンセイが立ち、続いてはなほこの夫ケイセイ・れいこの長男タカヤ・次男ヒビキ・三男レイタ・四男リョウガが並んでいる。

尚の前には祖母の教、教の前に母が立っている。尚の後に御供物を抱えたようこの長女ともみ・次女てるみ、その後になほこの長女さやか・次女みさき・三女ひなと並んでいる。

結界には、身内代表として神棒を手にヨシハルが守護役を務めていた。

今回の衣装は、女達は絹の白の神衣に白い帯を前に結んだ質素な装いだった。

教のカンプーには金のカンザシを母のカンプーには銀のカンザシ、ノロ達は錫のカンザシを挿していた。信オバァは赤のカンザシを挿している。赤のカンザシは権力は無いがノロの最高位を表している。

尚をはじめ、男達は黒の着物に黒の帯を後ろに結んだ質素なものだった。

尚は今日、神が仮想神だということがはっきりする日だと思った。

成人式の内容を、大人の誰も教えてくれなかった。兄も三年前に成人式を終えたのに、神の実体を、神様との約束で誰にも話すことが出来ない、と言って教えてくれなかった。

尚は空を見上げた。

神木の黒い松の枝に囲まれた狭い空を蓋でもするかのように迫ってくる満月に尚は圧倒された。太陽が放つ強烈な光が生命の息吹を感じさせるのに対して、月の光は冷ややかで、身体中の細胞に浸透して、先祖の野獣の血を呼び覚ます感覚に陥った。

今ならオオカミにだって変身出来るに違いないと思う程、冷たいエネルギーが身体中に満ちてきた。

「カチ・カチ・カチ」という音に、尚の妄想は消え去った。

カナイの国への扉が開かれた。

母がローソクを手に闇の中に入って行った。

祖母の教が続き闇の中へ入る。

尚は祖母の後、男子禁制の場所へ足を踏み入れた。踊り場のローソクの薄明かりが壁のノミの跡を照らした。人の手で掘られたものだった。

尚は祖母の後を左に曲がった。

母が階段の左側の壁に等間隔に設置されている燭台の上のローソクに火を灯しながら下りて行くのが見えた。

オバァに「手摺を掴んで下りなさいよ」と注意されながら尚も下りていった。左側の壁にもノミの跡があった。階段も人の手で作られていた。

尚の成人式人物配置図

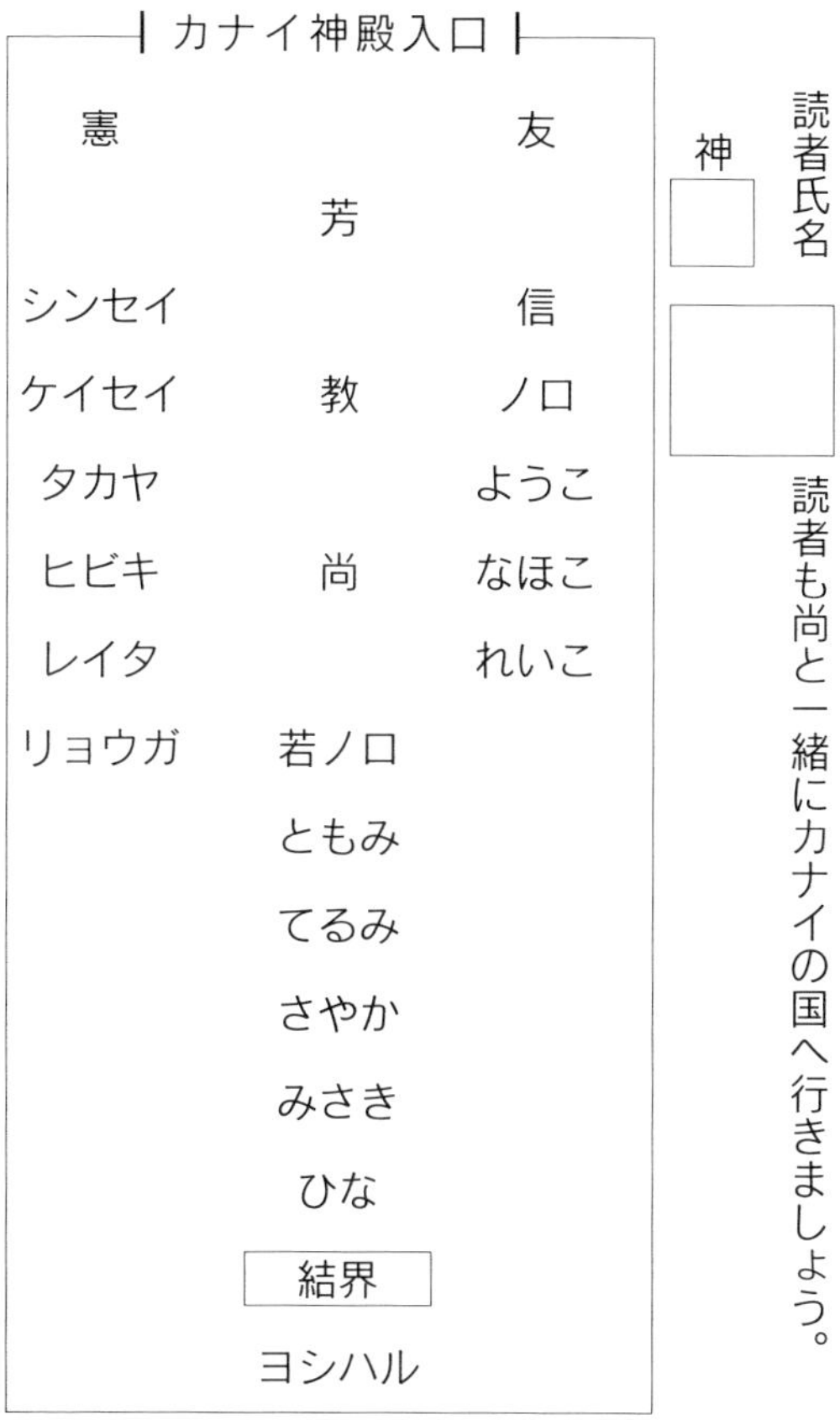

カナイ神殿入口

憲		友
	芳	
シンセイ		信
ケイセイ	教	ノロ
タカヤ		ようこ
ヒビキ	尚	なほこ
レイタ		れいこ
リョウガ	若ノロ	
	ともみ	
	てるみ	
	さやか	
	みさき	
	ひな	
	結界	
	ヨシハル	

神

読者氏名

読者も尚と一緒にカナイの国へ行きましょう。

下へ降りると、母は手に持っているローソクを祖母の手に渡し、横に退いた。

祖母は真っ直ぐ歩いて行った。母は尚の手を掴み母の側に止めた。

祖母の後を御供物の重箱の包みを抱えたおばさん達が続いた。先には石で作られた長方形の台があった。

母が燭台の上のローソクを引き抜き、尚の手を掴んだまま祖母と反対の方へ歩き始めた。

そこにカナイ神殿があった。

ローソクの明かりに照らされた洞窟は体育館の三倍はあり、洞窟の入口の向かいの壁の前に金色に輝く、ニライ神殿の三分の一程のカナイ神殿が建立(こんりゅう)されていた。

近くで見ると、屋根も壁も板張りで、全体を黄金色に塗られていた。

母が三段の階段を上った。階段の上に黄色い扉があり、尚に言った。「ここが、陰の気溜まり所よ」そして、洞窟の入口の方を向いて「ここからニライ神殿の陽の気溜まり所とは一直線に結ばれている」と言った。

尚が入口を見ると、おばさん達が出て行く所だった。その後、扉が閉じられた。

母が神殿の左の方に歩いた。尚は母の後に付いた。目の向こうに祖母の教が御供物が置かれた台の前から、こっちを向いて立っていた。

母は、黄金色の扉を開いた。中には長テーブルに四つの椅子が置かれていた。母はテーブルの上に置かれている燭台にローソクを立て、一つの椅子に座ると、向かいを指して尚に座るように言った。

尚は、やっと神の正体が明らかになる時がきたと思った。

「尚は今日から神になるのよ」と言った。

(やっぱり)と尚は思った。

「月神様役をやるんでしょう」と尚は言った。ところが、母の答えは天変地異のごときものだった。

尚の頭の中を奇想天外な母の言葉が走馬灯のように駆け回った。

父の孝が生きている。それも、毎年、大祭祀に現れる太陽の神が父であるという。

祖父の誠修も生きている。それも、昨年まで現れた月神様が祖父である。祖父は今年カナイの国の長老に選ばれた。長老に選ばれると二度とカナイの国から出られないために今年のニライ・カナイ祭を欠席したこと。

神がカナイの国に隠れるのは、神の敵であるサタンが地上に沢山いること。

今まで、尚に内緒にしたのは、子供は、まだ事の善し悪しの分別がつかないために、たまに来る国や県の視察団に神の実体をもらす恐れがあるために成人式までは神の事を秘密にしている。

祖父や父が死んだ事にするのは、カナイの国での仕事が多くなったためで、警察が行方不明者として調査に入ることを恐れて死んだ事にしている。

尚は覚えていないが二歳の時遺伝子の検査を受けにカナイの国へ行った事があるとい

われた。

母が、尚は今日から三日間カナイの国で神の勉強に行かないといけないと話した。

「尚、行くわよ」母の声に、尚は目だけ向けた。母はローソクを取ると出口に向かった。

尚の頭は、母の言葉がまだぐるぐると回って立つことが出来なかった。

「尚！」母の強い言葉に、やっと立ち上がって母の所に歩いた。

祖母の教が台の右側に立って、尚達を迎えた。顔にモナ・リザのような微笑を浮かべて、尚に訊いた。

「どう、理解できた？」尚は首を振った。正直、頭の中は混乱していた。祖母の教が、奥を指差して「向こうから、お父さんが見えるわよ、そうしたら、何もかもはっきりするから」と言った。祖母の教が指差した先には黒い穴が見えた。

「あの穴は海と通じているのよ」と右横の母が言った。

「来るわよ」と祖母の教が言うと、尚の左手を握った。母が右手を握ってきた。母と祖母のエネルギーが尚の中に流れ込んできて三位一体となった。尚の意識層が吹き飛んだ。（これは夢ではなく真実だ）という声が無意識層から湧き上がった。それと同時に父のエネルギーを感じた。

灰色の物体が黒い穴から浮き上がってきた。小型乗用車程の物体が尚達の前十五メートルの所で停止した。物体は何の物音も立てなかった。亀の形をしている物体を良く見ると、前に亀が乗っている。

飛行艇の左側ドアがスライドして開き父が降りてきた。素顔の父は夢で見る父と重なった。尚の前で立ち止まった父は十五センチ程高かった。

「成人、おめでとう」と父が言った。

父の声は潜在意識に残っていた。

尚は、どう対応していいか分からなかった。

尚の戸惑いを見た母が「まだ、混乱しているみたいだから」と父に言った。

「分かる。オトーも成人式の時は頭が真っ白になったから」と言って尚の顔を見つめ「現実を自覚するためには、カナイの国に行ってみないと判断出来ないから」と言うと、祖母の前に行った。

「オカー、オトーが来れなくて寂しいんじゃない」と祖母に言った。

「尚と憲がいるから寂しい事無いよ」と強がりを言った。

「オトーは寂しそうだよ」と父が言うと、「じゃ、次の尚の勉強会には一緒に会いに行こうかね」と祖母が言うと「じゃ、長老達にお願いしておくよ」と父が答えた。

父は母の前に来ると「じゃ、三日間尚を預かるから」と言った。「お願いします」と母が言った。

「尚、荷物を二つ持ちなさい」と尚に言って、自分は二つの御供物の包みを持った。

「じゃ、行ってくるから」と母と祖母に声を掛け亀の方に向かった。尚は二つの風呂敷包みを両手に下げ、残った包みを見て、今まで祭りの後に神様のおすそ分けとして食べていたのは、本当に神様のおすそ分けだったんだと気がついた。

尚は父の後ろを追った。父は亀の入口で尚を待っていた。尚は亀の前にきて、立ち止まった。近くで見る亀は七〇センチはあった。目は生きているかのように輝いている。

尚はかがんで亀の下を覗いた。亀には足が無かった。それでいて風も吹いてこない。尚は立ち上がって、父を見た。

父も尚の疑惑を察して「亀号は反重力エネルギーで浮いているんだよ」と言った。

尚は気付いた。反重力エネルギーは、まだ地球では解明されていない。

「オトーは宇宙人ね?」尚は思った事を口にした。

「それは難しい質問だ」と首を傾げた。

「その話は、中でするから」と言って中に入っていった。

尚は中に入る前に母と祖母の方を見た。二人とも胸の前で手を振っていた。尚は軽くうなずいて父の後に続いた。父は突き当りに設置されている三段ある棚の一番下の棚に二つの包みを入れた。尚は棚の二段に二つの包みを入れ、棚の右側に取っ手があったので、左にスライドした。カチッとカギの掛かる音がした。

父が「シマレー」と言うと入口の扉が閉まった。尚は右を見た。中路をはさんで片側一席ずつ八つの座席があった。

父は右側の運転席に座った。尚は空いている左側の席に座った。

「ヤーカイ」と父が言葉を発すると、前の壁がスクリーンになり、外の景色が映し出された。画面では、母と祖母がまだ手を振っていた。その姿が小さくなっていった。亀号が後ろに動き、暗い穴の中へと沈んでいった。しばらくすると、水に沈む感覚が尚に伝わった。

尚の頭に父が言った（ヤーカイ）という言葉が浮かんだ。「オトー、亀号は方言も分かるの」と聞いた。「亀号は世界中の言葉が理解できる。だから、どの国の神様でも声を登録すれば操縦出来るようになっている。尚も声を登録すれば操縦の訓練をしなくても声だけで操縦出来るようになるから」と言った。

席にはベルトが無かった。

「ベルトが無いけど、危なくないの」尚が言うと「この亀号の壁は、外側が反重板、中側に中性子板、内側に重力板の三位一体の合金で出来ている。その力の強さは電圧で加減出来るようになって、反重力板と重力板の間に中性子板をはさむことで互いの力が干渉し合わないようになっている。床にある重力板は、たえず、亀が宙返りしても物が落ちないように重力を調整している」と父が答えた。

尚は父の話を聞いて、また、疑問をぶり返した。

「オトーは宇宙人なの！」

間があいて、父が答えた。

「遺伝子を重視すれば神は宇宙人かもしれない、しかし、神は地球で生まれたから、生まれた場所を重視するなら神は地球人といえなくもない」

「詳しい話は、カナイの国で話すとして、まず、カナイの国の実情を話した方が理解が早いと思うのでカナイの国がどういう所かを話ししよう、カナイの国は世界中で色々な名で呼ばれている。『竜宮城』『天国』『蓬莱国』『太陽の家』『ユートピア』『海底王国』『不老不死の国』数えたら切りが無いが、本当の名称は『太陽の舟』で野球場より大きい飛行艇だ」

「じゃ、ＵＦＯのことだ」と尚が口をはさんだ。

「太陽の舟は、今、南極の厚い氷に閉じ込められていて、地上に出る事が出来ない、ただ、太陽の舟には三隻の小型飛行艇が収納されている、一つがこの亀号で次に大きい三〇人乗りの竜号で、一番大きいのが五〇人乗りの宝王号だ。この三隻は、たまに飛行することがあるので、それが目撃されてＵＦＯと呼ばれることはある」と父が話した。

「太陽の舟は三層になっている。真ん中が天国と呼ばれる居住区で、上が上界といって長老達の居住と監理室があり、長老達だけがすべての舟の構造を把握している。神も中に入ることを禁止されている。下の下界は、舟のエネルギーを生み出す機械室と動力室と野菜工場と飛行艇の収納庫がある。以上がおおまかな舟の構成になっている」と父が話を終えた。

太陽の舟

「もうすぐだよ」と父が前のモニターを見て言った。そこには氷の壁があった。亀号からレーザー光線が発射され、氷が溶けてトンネルが現れた。亀号はトンネルに入って数メートルで止まった。後を表示するモニターにトンネルの入口が凍って閉じるのが映った。

「入口を氷で閉じないとトンネル内の海水の温度が下がってトンネル全体が凍ってしまう」と父が言った。

尚は質問する知識が無いので黙っていた。

亀号が動き出し海水の中を進んで行った。

しばらくすると、モニターに赤い丸が写った。

「あれが太陽の舟のシンボルだ」と父が言った。太陽のシンボルの下に赤い鳥居が映った。

「あそこが太陽の舟の入口になっている」父が話す間に、色が黄色に変わっていった。

「鳥居の色は太陽の舟と亀号の距離を表している」と父が言うと、色は白に近くなり扉が開いた。光の中に亀号は入って行った。後で扉が閉まり水が徐々に上がっていくのがモニターに映し出された。

「鳥居の上の方が海水の吸排口になっている」と父が説明した。

海水が排出されると、前の扉が開き亀号が前に進み出した。

「トマレー」と父が言うと亀号が停まった。

「アカガイ」と父が言うと亀号から光が出て前方を照らした。

前方に宝王鳥が現れた。

「あれは、太陽の舟で一番大きい宝王号だ」

宝王号の前方の象徴は、神海島のニライ神殿の宝王島とそっくりだった。

「この宝王号は音速以下だと白色で、音速を超えると赤く輝き、超音速になると黄金色に変わる。その色の変化が火の鳥伝説や不死鳥伝説を生む原因になっている」と説明した後「アガレー」と言葉を発した。亀号が上昇した。「トマレー」と言うと亀号が停まった。前方に竜神が現れた。竜神は胴体を屋根にはわし、両足は爪を立て竜頭を支えていた。

「この飛竜号が三隻の内で一番多く地上で活動したので、竜伝説が数多く残る結果になっている。でも、近年人間達の探知機能が進歩してきているので、地上に出る頻度が少なくなっている」と言うと父が「ヤーカイ」と亀号に声を掛けた。亀号は上昇し、自分の格納庫に納まった。

父は、尚に「行こうか」と声を掛け、包みを二つ持ち、扉に向くと「アケー」と言った。扉が開き、父は外に出た。尚も包みを二つ持ち後に続いた。尚が降りて「ウワイヤサ」と言うと亀号の扉が閉まった。

父は亀号の前の扉に向かって「アケー」と言った。前の扉が横に開いた。尚は父の後に続いて部屋に入った。扉が自動的に閉まった。部屋は三坪程の広さで何も置かれてなかった。

父が包みを置いて、左側の壁に向かって手をかざすと壁の一部が開いた。父は二つの包みを中に入れた後「尚のも入れなさい」と言った。二つの包みを中に入れると、父が「ウワビンカイ」と言った。扉が閉まった。

父が尚の方を向いて「世界中の神生み所からくる御供物を食べるのが長老達の一番の楽しみだとオジィが言っていた」と言った。

「太陽の舟には、おいしい食べ物は無いの」と尚が訊いた。

「太陽の舟では、野菜類と穀物しか栽培していないので、普段は野菜と穀物の食材で作る料理しか口に出来ない。神達は、それぞれの神生み所の祭祀に出席して肉類を食べる機会を持てるが、長老達はその機会が無いため、肉類の料理は御供物で届く料理でしか食べられない」と父が応えた。父は話が終わると反対側の壁に向かって手をかざした。扉が横に開いた。その中から、父は二つの仮面マスクと白い上下の服とズックを取り出し、マスク一つを尚に渡した。尚は着物を脱ぎ、新しい上下の服とズックを着けた。

「ここでも仮面マスクをかぶる必要があるの」と尚が父に訊いた。

「天国には、七種族の神々がいて、世界中にそれぞれの神生み所を持っている。むかし地上の神々はネットワークを持っていた時代があった。そのネットワークをサタンに監視され、すべての神々の居所を把握された所で一斉に攻撃を受け地上の神々すべてが殺害された過去がある。それで、今では異人種の神々の存在は長老達しか把握していない。そのために、天国の中でも異人種の神々との接触や会話も禁じられている。マスクをかぶるのは、異人種の神々の顔認証を避けるためだ」と父が応えた。父は尚が脱いだ服を仕舞うと、マスクを着け、正面の壁に向かって「アケー」と言った。扉が横に開いた。そこは光の道だった。

尚の夢に出てくる光の道がそこにあった。

「この光は、地上で付いたすべての菌を消毒するための通路になっている」と言って父は光の中を歩み出した。先に銀色の扉があった。近づくと自動的に開いた。

外は星空だった。天井はプラネタリウムみたいになっていた。

室内の中央に木が立っている。「木がある」と尚が声を上げると「あれは生命の木と呼ばれ、天国の空気が汚染されると木の葉に異変が起こり、神に注意を知らせる役目を担っている」と父が言った。

近づいて行くと実がなっている。実は小さいがリンゴだった。「リンゴの木だ!」と尚が声を上げると「このリンゴの木は太陽の舟が完成した何万年も前に植えられたものだ」と父が言った。尚は考えた。地球に人類が発生したのは何時(いつ)だったか。父の話と地球の歴史は重ならなかった。

「それにしては木は大きくないよ」

「木は、剪定と肥料と器の大きさで制御できるんだよ」と父が応えた。リンゴの実は尚の手の届くまでに実っていた。

「これ、食べてもいいの」と父に訊ねた。

「だめだ、この実は地上に戻れない長老達が楽しみにしているものだから、神々が食べるのを禁じている」「じゃ、尚が食べたらどうなるの」と父に訊いてみた。

「まず、神失格で二度と天国に入ることが出来なくなる」と厳しい声で言った。

尚が禁断の実を見つめていると、周囲が騒がしくなってきた。周りの多くの扉が開き、マスクを着けた神々が入ってきた。その中で尚の目に焼き付いたのは、長い髪が金色に波打っている親子だった。半仮面マスクをしていても、その美しさを想像させるオーラがあった。

「尚がいくら女神を好きになっても、神と女神は結婚出来ない」父は尚が金髪の女神にくぎづけになっているのを見て「神と女神は遺伝子が近いために劣性遺伝子の子が生まれる可能性があるために結婚は禁じられている」と言った。

「女神は、憲みたいに神にはなれなかった人神の所へ、天女という形で天下るのが宿命だ」と父が話した。

「じゃ、あの女神が憲の所へ嫁にくることってあるの」と父に訊いた。

「国際結婚の少ない時代には、異人種の神との結婚はサタンの魔女狩りに遭う可能性があったために禁じられていた。しかし、国際結婚が盛んな今では、そんな心配もなくなったので、長老達も異人種の神々との結婚を進めている。実際同人種の間で生まれる神の遺伝子を持った子が減ってきている現実がある。だから金髪の女神が憲の嫁にこないとはいいきれない」と父が言った。

尚が、兄の所へ金髪の女神が嫁にくることを想像していたら太陽が昇って来た。

尚は学校で地動説の説明をされても、違うという感覚が常にあった。その訳が分かった(天国では天動説が正しい)二歳の時に見た天国の太陽が潜在意識に残っていた。

「神々は、体内時計を地球に合わせるために、朝・昼・晩と三回太陽の光を浴びることになっている」と父が言った。

一通り太陽の光を浴びた神々が扉の中へ消えて行った。父も歩き始めた。尚も後に続いた。扉の前に仮面マスクをしていない神様がいた。尚はすぐ分かった。月神様の誠修オジィだと。オジィは若かった。父と兄弟だと言ってもおかしくなかった。

「オジィ若いだろう、天国では老けるのが遅いんだよ」と父が言った。

「尚、びっくりするばかりで疲れていないか」とオジィが聞いてきた。

「大丈夫」と尚は首を振った。オジィの声を初めて聞いた。声も若かった。

「オトー、部屋でゆっくり話した方がいいんじゃない」と父が扉の前に立つと自動的に開いた。父が通路を歩き出した。

「半年も見ないうちに大分大きくなった」とオジィが尚と並んで歩きながら言った。

尚も月神様を見たのが昨年の秋の収穫祭が最後だったことを思い出した。

「尚、この廊下の左右の部屋が日本の別の神生み所で生まれた神々の部屋になっている」と父が説明した。父はひとつの扉の前に立つと尚を呼んだ。扉の横にモニターがあった。父は、尚をモニターの前に立たせ、親指でタッチするように言った。尚がパネルにタッチすると、モニターの中から「認識完了しました」と女の声がした。

「これで、部屋の出入りは自由になったから、開きなさいと声を掛けてみて」と父が言った。

「アケー」と言うと、扉が開いた。

父は中に入ると右側の扉を開いた。そこには緑の服と白い服が入っていた。

「明日は下界の農場を案内するから、その時は緑の服を着なさい」と父は言って、部屋の中へ入って行った。廊下は一メートル程の幅で右側に長さ二メートル三〇センチ幅一メートルのベッドがあった。左側には食事の弁当の配膳口になっていた。長老と神は同じメニューになっていて、神は個室で食べるようになっているという。その側には机があった。

父は奥の方に進んだ。右側の扉を開くと衣装棚になっていた。そこに寝巻きや肌着が入っていた。左側は洗面台になっていて、石鹸、ハブラシ、ハミガキ粉、ヒゲソリが備えてあった。上にはタオル類が入っていた。奥の右側がシャワー室になっていて円形で立って浴びるようになっている。

「中に入ると、自動的にドアが閉まるから、そうしたら、足を開いて立っていると、上下左右と後から蒸気が吹き出してくるから、一〇数えてから、向きを反対にして一〇秒もすると風が吹いてくるから、また一〇数えてから正面を向いて、一〇秒もすると終わりだから」と父が使い方を教えてくれた。

左側がトイレになっていた。中の左側に小、右側に大の便器があった。

「尚、外で待っていなさい」と父は言って、中に入っていった。出てくると「話が長くなるから、尚も用をすましなさい」というとオジィの所に行った。尚が部屋に戻ると、オジィはベッドに腰掛け、父は机の前の椅子に座っていた。

「ここに座りなさい」と言って、父は空いている椅子を指した。机の後には大きなモニターディスプレーが掛かっていたが、何も映っていなかった。

「いい、今から話す神々の歴史は絶対口外しないように」と厳しい声で父が言った。

「オトーから口伝で引き継いだ話を、また、尚に引き継ぐから確り覚えるように、オジィに立ち会ってもらうのは、尚に正しく内容が伝わっていくか確認のためだ」と父が言った。

父の口伝物語

現在の太陽系は第二紀太陽系である。

第一紀太陽では、地球が第一惑星だった。

第一紀では、地球に月は無かった。

第一紀太陽系では、第二惑星は火星の軌道を回っていた、地球と同じ大きさのアトランチス星だった。アトランチス星には衛星が一個あった。

第一紀太陽系では、現在の小惑帯に地球より二割は大きいムーの星が回っていた。ムーの星にも衛星が一個あった。

第一紀太陽系では、地球、アトランチス星、ムーの星は同時期に生命が誕生した。

地球は衛星を持っていなかった為に地軸が安定せず、火山の爆発や隕石の衝突で地軸が変化し、氷河期に何度も見舞われたために進化が止まり、アトランチス星とムーの星より人類への進化が遅れた。

アトランチス星とムーの星は、それぞれ衛星を一個ずつ持っていたために地軌が安定し大災害に見舞われることが無かったので、二つの星では人類の進化が早かった。

二つの星では、人類へ進化する過程で大きな違いがあった。

アトランチス星人は狩猟民族で小集団の時代から狩猟場を巡って争いを繰り返す民族だった。科学が発達し、アトランチス国家とサタン国家の二大国家が誕生しても、争いは絶えず、科学の進歩は武器開発競争でもあった。

武器開発に勝ったのはアトランチス人だった。アトランチス人は原爆と中性子爆弾の開発に成功した。アトランチス人は最初に原子爆弾を投下し、それでも降伏しなければ中性子爆弾を使用するつもりだった。しかし、原爆を投下されたサタン国家は、その威力に驚愕し、全面降伏した。

戦後、サタン人は武器関連や原子力関係の仕事に就くことを禁止された。また、アトランチス国家もサタン国家も戦争による人口減少を恐れて一夫多妻制度を敷いていた。戦後、アトランチス人はサタン人の人口が増えるのを嫌いサタン人には、妻は二人までという制度を作った。

サタン人は色々な差別を受けながら、医学と植物学に活路を見いだした。

戦争に明け暮れて、天体に何の興味も持たなかったアトランチス人も、平和になって初めて天体に興味を持つようになった。

天体を観察しているうちに、ついに、地球とムーの星に生命の存在を確認した。平和になって刺激が少なくなっていたアトランチス人にとって、未知の星の存在は、新しい冒険心を駆り立てた。ロケット開発に夢中になり、ついに科学燃料ロケットでムーの星に無人探査機を送り込んだ。探査機から送られてきた映像はアトランチス人に驚愕をもたらした。

映像には、身長二メートル二〇センチを超す巨人が映っていた。そして、ピラミッド形の光の家に住んでいた。光の家は千個が一集落で、無数の集落があった。しかし、アトランチスのような高層住宅はなく、飛行機も鉄道も車も無かった。空を飛んでいるのは、アトランチスでは一昔前に姿を消した飛行船が飛んでいた。

映像を見たアトランチス人は、ムーの星への訪問を熱望し、原子力ロケットの開発に力を入れた。

原子力ロケットを開発している間、サタン人の医学の知識が欠かせないものになっていた。宇宙飛行が人体にどんな影響を及ぼすかの実験にはサタン人の医学の知識が必要だった。

アトランチス人は衛星に宇宙船組立工場を造り、アトランチスから色々な部品を送り、ついに二隻の巨大な原子力宇宙船を完成させた。一隻に五〇人の乗組員が乗船してムーの星へ出発した。宇宙船には、一隻ずつ四人乗りの上陸艇が収納されていた。

ムーの星に近づくと星の周回軌道を回り、星を観察した。一番注意深く観察したのは武器の性能だった。上陸艇に向かって攻撃されないか心配だったからだ。それから空気の成分だった。観測の結果、空気の成分はアトランチスとほとんど変わらなかった。

後は、武器の存在だった。

まず、攻撃されるか、小型無人探査機を集落の上に飛ばしてみた。巨人達は小型機を指差して色々会話しているようではあったが、攻撃する様子はみられなかった。

それでも用心して、一隻の上陸艇で上陸を試みた。集落には大きな運動場があった。

観察した結果、運動場を使用する時間はほぼ決まっていた。上陸艇は使用されない時間帯に合わせて上陸を試みた。

上陸艇は途中までは空気抵抗で滑走し、地表近くで両翼に取り付けられている小型原子力エンジンを逆噴射して着陸した。着陸すると、巨人達が大勢集まって来た。彼等は笑顔で迎えた。敵対する様子はなかった。

アトランチス人は友好を表すために軽装のまま、上陸艇を出た。手に翻訳機を持って巨人の前に立った。アトランチス人は身長一八〇センチあったが、相手を見上げて会話しなければならなかった。体は大きくても態度はおだやかで警戒している様子はなかった。

アトランチス人が翻訳機のディスプレーに映る映像をアトランチス語で言うと、巨人はすぐ反応して言葉を返した。彼等の知能の高さがすぐ分かった。巨人達は翻訳機を介さないでアトランチス語を習得した。アトランチス人についてくるように言って先に歩き出した。

巨人は光の家に案内した。光の家と思っていたのはソーラーシステムで電気を発電していた。

アトランチスでは、原子力発電で電気が得られるので、ソーラーシステムの研究に取り組むことはなかった。

室内に入って、アトランチス人は目を見張った。ロビーと思わしい室内は絵画と彫刻で満たされていた。

アトランチスでは戦争に明け暮れていたために、芸術方面に目が向かなかった。芸術に疎いアトランチス人にも絵画と彫刻は感動させる程の美しさだった。

言葉が深まるにしたがって巨人達の話は驚愕の連続だった。

星の名はムーと呼ばれていた。

アトランチス人を一番驚愕させたのは、ムーの星に武器が存在しなかった。ムー人は人を殺すという概念が無かった。アトランチス人には理解出来ない思想だった。

アトランチス人はムー人が宇宙想像神を信じているということも理解できなかった。

アトランチス人には、神という概念が無かったからだ。

また、ムー人の寿命にも驚かされた。

星の自転の違いを計算して得られたムー人の寿命はアトランチス時間に概算して三百歳という長寿だった。

寿命の平均が八〇歳に満たないアトランチス人にとって信じられないことだった。

食事はアトランチス人が肉食中心であるのに対して、農耕民族であるムー人は九割は穀物と野菜で、肉といえば、鶏肉と魚肉だけだった。

ムー人は長寿のため人口が増えないように一夫一婦制と産児制限を行っていた。

ムーでは部落と部落の往来に使う交通手段は飛行船が主だった。

アトランチス人の死亡の原因の多くが病気によるものだった。しかし、ムー人は病気で死亡するということは殆ど無かった。天命という寿命まで健康でいた。

アトランチス人は交替でムーの星で生活する中で、お互いをムーラー（ムーの人）、アトラー（アトランチスの人）と呼び合うようになった。

アトラーがムーの星で生活している中で一番感銘を受けたのは、大木が生い茂る森の中で、木の聖霊や宇宙魂との交流が出来るという瞑想会に参加したことだった。

神の概念が無いアトラーは、ムーラーの言う通りにアグラをかき、意識を寝る前の無の状態にするように言われた。暫くすると、体が脱力状態になり、頭の中は得も言われぬ幸福感に満たされた。その感覚はアトラー皆が共通して感じ取れた。森の中には、ムーラーの言う聖霊がいることを信じさせる体験だった。

アトラーは沢山の成果を得て帰途に着いた。

アトランチス星では探検隊の報告は、議会で大論を巻き起こした。

議会の結論は、ムーラーをアトランチスの生活制度を変える教師として迎えようとの結論に達した。

ムーの星とは電波を通しての交流は続いていたので、ムーラーに議会の決議を伝えると、喜んで引き受けるとの返事が返ってきた。

アトラーはムーラー用に五〇人乗りの母船を二〇人のムーラーが乗れるように改造した三隻を贈呈した。また、ムーの星の衛星に母船用の基地の建設も行った。アトラーの四人乗りだった上陸艇は、ムーラーの二人乗りに改造して提供された。

ムーラーの来訪前に、アトランチス議会では大改革が行われた。

戦争も終わり、平和になると人口が急激に増え出し、食糧危機に陥る恐れがあった。

議会は、ムーラーの一夫一婦制が食糧危機を救う制度だと決議し、一夫多妻制度は一夫一婦制度に変更された。

その中で、サタン民族は子供を二人までという産児制度が科された。それはサタン民族にとって屈辱的なものだった。戦後、アトランチス人とサタン人の人口比率は半々だったのが徐々に広がり、現在では五倍になっていた。これ以上差が広がることは、サタン人が少数民族に陥る可能性のある法律だった。

しかし、議会に議席を持たないサタン人には抵抗する手段が無かった。

ムーラーの来訪は、アトランチス人にとって大きく人生感を変えるものだった。とくに、芸術は、人の魂を大きく育てる上で必要不可欠な要素だと教えられた。

事実、絵画、彫刻、演劇、音楽等に携わると、人生に生き甲斐と幸福感が生まれた。また、食事の改善によって病気は減少し、寿命が延びていった。

アトラーはムーラーを尊敬を込めて、神の民と呼んだ。

そんな関係の中、アトラーとムーラーは地球に興味を持つようになった。

地球には文明を築いている人類の存在は感じられなかったが、アトラーにとって将来、食糧難に陥ったとき、食糧の供給源になり得ないかという調査目的を持っていた。

ムーラーは地球の巨大な樹木に宿る聖霊の存在を感じ取っていた。

アトラーとムーラーはお互いの思惑を抱え、地球探査隊を結成した。

アトラーの探検隊には医学と植物学に優れたサタン人も選ばれた。

アトラーの二機の母船とムーラー一機の母船で編成された船団は、地球の周回軌道で待機しながら、地球を観察した結果、地球は超熱帯で、空気の成分はアトランチス星とムーの星とほとんど変わらないのに、防暑服を着けないで住める地域はごく僅かだった。

アトラーが選んだ場所は、イギリスとアフリカ大陸の間の島だった。

その島をアトランチス島と呼ぶようになった。

ムーラーが選んだ場所は今のハワイ諸島の南にあった島でムーの島と名付けられた。

アトラーとムーラーが住宅の材料に選んだのは、ムーの星で使用されていたピラミッド型のソーラーハウスだった。

ソーラーハウスは建築も早く、強烈な太陽光線の降り注ぐ地球の環境に最適だった。

アトランチス島ではピラミッドを三個建築して調査基地にした。調査に必要な乗り物として簡単に組み立てられるヘリコプターが使用された。

ムーの島では二個のソーラーハウスを建築して、周辺の木々の聖霊との交流を試みた。しかし、ムーの星の聖霊と波長が違ったために、存在感はあったのに霊感の疎通には至らなかった。ムーラーは時間の必要を感じた。

アトランチス島では大きな変化があった。

地球を調査して、七種族の原人の存在を確認した。アトラーとサタンは原人達と接触を試みたが、縄張り意識が強く、凶暴で知能指数が低く、交流は難しかった。

その時、サタン人から、ある提案を持ち掛けられた。

地球を開発するには、暑さに弱いアトラーには不向きで、どうしても暑さに強い原人の女性にアトラーの精液を人工授精させて新しい人間の誕生が必要不可欠だとの提案だった。

アトラーはその提案を受け入れた。

サタンは原人の数人の女性を拉致して人工授精の実験を行ったところ、アトラーやサタンが想像した以上の成果が出た。人間は知能が優れ、原人と格段の違いがあった。人間はどんな過酷な環境でも生き抜く強靭な身体を持っていた。

この人間の誕生は、女性の大半を拉致された原人にとって、狩りに必要な人口を維持出来なくなり、純粋な地球人は消滅する運命を辿っていった。

アトラーは人間の教育にムーラーの協力を仰いだところ、ムーラーは人間と初めて接したとき、人間の純粋な汚れのない魂に感動した。ムーラーは人間の教育こそ地球に来た運命だと感じ取った。

アトラーは、各人種の生まれた子供の三割はムーラーに与え、後の七割は教育を終えた十三歳にアトラーの元に戻すという約束を交わした。

アトラーはムーの島に七種族が生活出来る集落の整備を行った。

アトラーが人間を移住させる大陸は、肉食動物が無数にいたので、集落を造るには集落の周囲を高い木の棚で囲う必要があった。

その準備を、今のロシア、ヨーロッパ、アフリカ大陸、中国、インド、北アメリカ大陸、南アメリカ大陸と七カ所に、人種別の人間の居住地を造営した。

アトラーは、自分達の血を引く人間を大切にして、美術、工芸、演劇を奨励した。ただ、ムーラーの要望で科学関連の知識は与えなかった。

ムーラーは、人間が科学知識を持つことによって純粋な魂の発育の障害になると考えていたからだ。

アトラーとムーラーが純粋に地球の開発を進めている間に、サタン人は大きな野望を抱き始めた。

地球のサタン人は、アトランチス星のアトラーの目の届かない地球をサタンの星にするという野望だった。

サタン人はアトラーに将来アトランチス星で食糧危機が訪れた場合の食糧供給源として地球に、家畜に向く動物の選択と野菜や穀物の品質改良の実験所が必要だと要望した。

人間の誕生に甚大な貢献をしたサタン人に厚い信頼を持つようになったアトラーはサタン人の要望を受け入れた。

北アメリカと中国とアフリカ大陸に原子力発電機を持つ実験所を建築した。

実際、研究所で実験していたのは、遺伝子の研究と臓器移植の実験だった。勿論、その内容は、アトラーには内密に行われた。

また、サタンは植物学の知識を駆使して、地球の植物から麻薬と媚薬の抽出に成功した。

そして、アトラーによって人間との結婚を禁じられていたが、それを無視して、人間の女性に自分達の子供を産ませ、将来、地球の監理者にするために、彼等をサタンの子と呼んで育てていた。

サタン人は、自分達の野望の最初に取り組んだのが、地球に居るアトラーを取り込むことだった。

サタン人はアトラー達を慰労するという名目で研究所に招待した。サタンは豪華な食べ物や飲み物の中に媚薬と麻薬を仕込んだ。また、給仕の人間の女性達を麻薬で道徳心を麻痺させ慰安婦としての訓練をしていた。

媚薬と麻薬を投与されたアトラー達は慰安婦の誘惑に逆らう気力を失っていた。

サタンの思惑通り、道徳という縛りを取り払われたアトラー達は自分達から研究所を訪れ、快楽に溺れていった。

サタンは次の野望に向かった。

アトランチス星の議会に人間の訪問を懇望した。アトランチス星でも、人間の誕生は広く報じられていた。地球のアトラーとムーラーからも人間の性格の良さは報告されていたので、サタンの要望は、すぐに受け入れられた。

サタンが人間をアトランチス星へ送り出すには二つの目的があった。一つは、アトランチス星では、給仕や召使い等色々な下働きの仕事をサタン人に押し付けていた。それを解放するために、人間がいかに女中や雑用係として向いているかを推奨するためと、地球の各種族の長老達を取り込むためだった。

アトランチス星に着いた人間の若者達は、試験的に議会の長老達に与えられた。人間は従順で仕事の覚えも早く、その性格は長老達を感動させた。評判を聞いた多くのアトラーから人間を雇いたいという要望が増えた。

サタンは、その要望に応えるため、人間の長老達にアトランチスの星で働くことがいかに幸福感をもたらすかを説いた。長老達も超高層ビルや飛行機、電車、車やテレビ等を見て、アトランチスの星を神の国と信じ、サタンの要求通り、部落の若者をサタンに託することを承諾した。

サタンは人間の中にサタンの計画を担ったサタンの子を潜ませた。

サタンは、壮大な野望の突破口を開いた。サタンは、議会議員にサタンの子を給仕として配した。サタンの子達は議員達の料理に麻薬を仕込み、徐々に麻薬浸けにした。また、サタンは、国家保安局や国家の中枢を担う人物達の所にサタンの子を配した。

サタンは徐々に国家を影で操るようになった。サタンは、麻薬浸けにした権力者を、さらに取り込むために、密かに慰安所を設置した。また、権力者の職員にサタン人を登用させ、情報の中枢を握るようになった。

その状況に気付いたムーラーは人の道に外れた行為を止めるようにサタン人に要求したが、議会の議員を取り込んでいたサタン人には馬耳東風だった。

そんな時、アトラーの科学者達から宇宙創成理論書が議会に提出された。

宇宙創成理論書を議会に提出される前に最初に目にしたのは、事務方として働いていたサタン人だった。

その理論書は、サタン上層部に届けられた。その理論は、サタン上層部にとって驚愕する内容だった。

アトラーの宇宙創成理論

宇宙は三個の暗黒物質で出来ている。

三個の暗黒物質は同じ大きさである。

一個は陽球子で、プラスの電気とプラスの重力を持ち、質量は三個の内、中の重さを持っている。

一個は陰球子で、マイナスの電気とマイナスの重力を持ち、質量は三個の内で一番軽い。

一個は中球子で、電気的にも、重力でも中性である。質量は三個の内で一番重い。

陽球子と陰球子はお互いに重力エネルギーと反重力エネルギーを持っているために

斥力が働いて結合することがない。

陽球子と陰球子は直接結合することは出来ないが、間に中球子を挟むことで堅固な三位一体の限界子を構成する。

暗黒宇宙は限界子の海の誕生で物質世界が創成されていく。

限界子は陽球子の重力エネルギーと陰球子の反重力エネルギーの強弱の差で回転運動を起こす性質を持っている。

限界子の回転運動の性質が宇宙を回転させている。

限界子は陽球子のプラスの電極とプラスの磁力を持つようになり、陰球子はマイナスの電極とマイナスの磁力を持つようになる。

限界子は回転すると磁場と電場と引力を形成する。

限界子は回転の速度でエネルギーの性質が変わる。

限界子の最初の遅い回転で発生するエネルギーはマイクロ波である。そのエネルギーは暗黒宇宙全体に伝播し、暗黒宇宙はマイクロ波という産声を上げて、光の世界へと生まれ変わる。限界子は、暗黒物質を弾き飛ばし、玉突き状態で得たエネルギーで回転速度を速くして、限界子は光子に変質していった。

宇宙に初めて光が誕生し、暗黒の宇宙から光り輝く宇宙に変貌していった。

光子は動かない時は粒子として存在し、動くと波長を持った光に変質する二面性をもっている。

限界子はエネルギーの弱いマイクロエネルギーから徐々に回転速度を上げ光子に変質し、そして、超速度で回転する放射線へと変質していく。放射線の高速回転で弾き飛ばされた陽球子、陰球子、中球子は、本来斥力が働いて結合出来なかった球子同士の球子融合を起こし、物質の卵である無数の微粒子を誕生させた。

微粒子は球子融合を繰り返し、質量の安定した原子、中性子、電子を形成していった。

原子、中性子、電子の誕生は、宇宙に初めての元素水素の誕生でもあり、物質世界の夜明けでもあった。

水素は、原子、中性子、電子の数を増やすことで、ヘリウム、リチウム、酸素、窒素等の物質に変化していった。軽い物質は宇宙全体にガスの雲を発生させた。

ガス雲は大きくなるにしたがって、中心に強い圧力を加えるようになり、中心に限界子の陽極と陰極、陰極と陽極と繋がった限界子の糸が無数に生まれ、限界子の糸は絡み合って紐になり、紐同士が絡み合って綱になり、大綱になると、綱の中に閉じ込められていた限界子が捻じれの圧力で光子となって放出され、大綱は光り輝く光柱となる。光の放出は光柱に回転運動を起こし、周りの電子雲が渦となって回り出し、その渦巻の回転エネルギーが電子雲の中の軽量元素と原子、中性、電子の衝突融合を起こし、金属、重金属を生み出した。

新しく生み出された金属と重金属は、光柱の引力に引き付けられて、光柱を鎧のように覆い出した。その鎧の厚さはどんどん大きくなり、その圧力で光柱の両端から光子がジェットとなって噴出した。ジェットで噴き出した光子は回りの時空を歪めながら無数の大小の星雲を生み出した。

光柱の鎧の中は、光子の噴出する摩擦熱で超高温になり、ついに、そのエネルギーは自爆を起こす程のエネルギーになった。

自爆のエネルギー巨大ですべての物質を暗黒物質に分解する程だった。

巨星爆発は、まず、最初に暗黒物質に分解された軽い陰球子が放出された。次に放出されたのが陽球子だった。最後に残ったのが一番重い中球子だった。

爆発が収束した後、中心に残ったのは重量の重い中球子と重力の強い陽球子だった。

中心に光の無い強い重力を持ったブラック・ボールが誕生した。

巨星は、中心にブラック・ボールを形成し、その周りに新しい無数の銀河を従えた大銀河に変貌した。

初期の宇宙は巨星だらけで、無数の巨星の爆発は無数の大銀河の誕生でもあった。大銀河はそれぞれ回転していて、その回転力は大銀河同士に斥力が働いて、大銀河同士は遠ざかっている。

無数の大銀河は、遠くにある大銀河程斥力は二倍三倍となり、その遠ざかる速度も二倍三倍となって遠ざかっている。

宇宙は膨張し続けている。

その膨張している宇宙の天ノ川銀河の片隅に小さな電子雲が発生した。

電子雲の塊は中心に限界子の無数の糸を生み、糸の絡みは大綱に成長したとき、その捻じれの力で綱の中に閉じ込められた限界子を光子として放出した。綱は小さな光柱となって電子雲を回転させ渦巻きを形成し、電子雲の中に軽い元素から重い元素までを生成していった。光柱に近い程、回転エネルギーが強く、より重い重金属が生成された。生成された金属や重金属は、光柱の引力に引かれて光柱に吸い込まれた。

光柱は規模が小さく引力で引き付けた金属を跳ね返す程の密度が無かったために、取り込んだ金属は光柱の中で衝突し、その衝撃エネルギーは光柱を熱球に変えていった。

重金属の衝撃エネルギーは熱球の表面で核爆発と核融合を起こした。

太陽の誕生であった。

熱球に閉じ込められていた限界子の糸は、核爆発によって細々に千切れて宇宙空間に放出された。この千切れた限界子の糸が無限の遺伝子となって宇宙空間を漂うようになった。

太陽の誕生は生命の誕生でもあった。

太陽の回りの渦巻雲は、太陽の引力に吸い込まれなかった金属塊が衝突し合い大きな熱球となっていった。その大きな熱球の引力の及ぶ軌道上に取り込める金属塊が無くなった時、熱球は冷やされて表面に地殻を持つ惑星地球、アトランチス星、ムーの星を形成した。

ムーの星の外の電子雲は回転エネルギーが弱かったためにガスのまま木星、土星、天王星、冥王星に吸収された。

太陽の空は雲一つない晴れ晴れとした宇宙になった。

地球、アトランチス星、ムーの星は軌道上の金属塊を引力ですべて吸収すると、衝突エネルギーが無くなり、三つの惑星は軌道上に漂っていた水素、酸素、ヘリウム、窒素等を取り込み、大気をつくり出した。そして、大気の中の水素と酸素は結合して水を作り、地上に水をもたらした。

地球の水は水蒸気となり、やがて雲を形成し、雨を降らせ、川と海が生まれた。

太陽の誕生のとき、宇宙空間に放出されていた遺伝子が水に溶け込み、海や川や地表で、その場所に合った遺伝子が生命を育み、生命は色々な環境の中で、より複雑に自ら遺伝子を進化させて生存競争に強い遺伝子へと変化していった。

生命は、大気を閉じ込める重力と引力と地殻があれば、物質は必然的に生命を生み出す特性を持っている。

今後の研究は、銀河の中に太陽系と同じように生命が育まれているかを追求することにある。


サタン人上層部は論文を読んで千載一遇のチャンスだと思った。

ムーラーはサタン人の臓器移植の研究や遺伝子組み換え研究に強い不信感を持ち中止するよう糾弾していた。

サタン人は論文の最後の「今後の研究は、銀河の中に太陽系と同じように生命が育まれているかを追求することにある」という部分を削除して「生命は物質から生まれたものであり、そこに神の介入の余地がなく、神は存在しない」という文章を書き加えた。

サタンは論文が提出される前に、論文に参加したアトラーの科学者を議会から、偉業を成し遂げた者への報奨だとして慰安園へ招待した。

慰安園は議員や各機関の上層部や大金持ちしか入園を許されない桃原郷で庶民には一生入れない場所だといわれていた。

科学者達もその存在は知っていたが無縁だと思っていたのに、そこに招待されたことに有頂天になった。実際は、慰安園はサタンが麻薬と慰安婦によって、自分達の行為に批判的な人物やアトラーの道徳心を奪い取る目的で設置されたものであった。

サタンは科学者の目を気にすることなく、改ざんした論文を議会に提出した。

また、次の一文を添付した「ムーラーは存在しない神を利用してアトランチスを乗っ取るつもりだ。迷信の民であるムーラーを追放すべきだ」

サタンによって、道徳心を奪われ、快楽主義に変貌されていた議員達に反対する者はいなかった。

追放されたムーラーは疑問を宇宙神魂に問い続けた。何故、悪のエネルギーを増大させているサタンの存在を容認しているのか。

宇宙神魂の神意が届いたとき、ムーラーは驚愕した。

サタンの増大した悪のエネルギーに勝つには、ムーラーの思念が悪のエネルギーを越える力が必要であること。

宇宙の大銀河は別個の宇宙神魂が司る五次元の時空で、それぞれ生態系の違う四次元の世界を構築しようとしている。

天ノ川銀河の目指す四次元の世界は人類を頂点にした世界で、太陽系の人類はその先駆けで、ムーラーは今から生まれる別の惑星の人類の教師となるべき存在だ。その為には、サタンの悪のエネルギーに勝つ思考魂に昇化しなければならない、ということを受忍した。

ムーラーが天ノ川銀河の五次元の思考魂に昇化し、新人類の指導者に成るには自己犠牲という崇高な精神が必要だということも悟った。

また、ムーラーは自己犠牲の後に、生き残れるのは純粋な心を持ち続けている地球の人間であることを宇宙神魂から啓示された。

人間を助けるのがムーラーの使命になった。

ムーの星では、地球の人間を救う救世主の誕生の祈念、思念集会が行われた。

父はそこまで話して目を閉じた。

そして父の口伝物語がつづいた。

「尚、ムーラーの祈念で生まれたのが、我々神々の始祖神大王様だ」と言った。

「大王様は宇宙神魂との想念のやり取りに優れ、五歳の時から太陽の舟の設計図を書き始めた。しかし、大王様は設計図を書けても、それを建築する能力に欠けていた。それでムーラー達は設計図を完成させる大工が必要だった。ムー島の各種族はそれぞれ違った能力を持っていた。ムーラー達は島の七種族の人間の協力を得て、各種族の女性達の卵子に大王様の遺伝子を注入した。我々神々は太陽の舟の建造大工として誕生した」と父は言った。

大王と神々はサタンに気付かれないようにムーの島の地下で太陽の舟の建造を始めた。アトランチス星では、ムーラーを追放した後、サタンの暴挙を止める者がいなくなった。

サタンは権力を強めながら、アトランチス星に人間の七種族の剣闘士の村をつくり、毎回一種族から三〇人を選び二種族を闘わせ片方が一〇人になるまで死闘させるという闘技場を造って、人間の死闘を見せ物にした。

闘技場の運営には二つの目的があった。一つはサタン人の財力を強くすることと、もう一つは亡くなった剣闘士の臓器をサタン人の移植に使うためだった。鍛えられた肉体の臓器は、普通の人間の臓器の三、四倍は長持ちすることが証明されていた。サタン人は寿命のきた臓器に剣闘士の臓器を移植することで寿命を百五十歳まで延ばしていた。

剣闘士の管理はアメとムチで行われた。アメは、戦いに五回勝ち残った者は妻帯を許され、家も一軒与えられ、新人の剣闘士の指導者の地位を与えられた。ムチは、逃げた者は公開処刑にするという厳しいものだった。

そんな中、地球ではアトランチス島を乗っ取っていたサタンが人間と動物、魚、鳥との遺伝子組み換えに成功していた。サタンは半獣半人の合成人間を創造した。そして、半獣半人の合成人間は、アトランチスの星で見せ物としてサタンは利用した。その中でも、家畜として飼っていた牛、羊、馬との半獣半人と人魚は施設の目玉となった。

また、アトランチス島では四〇人の人間を乗せることが出来る小型原子力エンジン三個を備えた円筒型のロケットが、地球上を周回している大型輸送船とたえず往復していた。

アトランチス島のサタンは地球の人間達に人間を家畜のように取り扱っていることを知られないように、一種族十三歳になった男女四〇名をアトランチス星へ送り出す時、必ず長老一人を見送り人としてアトランチス島に招待していた。サタンは長老をピラミッドの光の家の近くのロケット発射監視塔から空へ打ち上がるロケットを見学させていた。それは、長老をサタンが天国を支配する全知全能の神であると洗脳するためだった。

集落に帰った長老は、村人に、神々の光の家に感動し、大木のような神々の乗り物は雷の神を伴い天の国へ舞い上がった様子を話し、サタンの偉大さを語る語り部となった。

サタンは闘技場から得る収入と、慰安園と半獣半人の見せ物から得る収入でアトラーの財力を上回る程になっていた。

権力と財力を得たサタンが次に目指したのはムーの星の征服だった。

サタンはムーラーからサタンの行いは悪魔の仕業だと糾弾されたことをずっと根に持ち、ムーの星の征服を窺っていた。

サタンは、やっと、その時機が来たと思った。ムーの星の征服は簡単に思えた。武器を持たないムーラーが抵抗する手段があるはずが無いと思っていた。

そのサタンの行動はサタンに取り込まれていなかったムーラー信者の庶民から逐一無線で報告されていた。

そんな矢先、ムーの星に地球から太陽の舟が完成したという知らせが届いた。

ムーの星では、サタンとは違う意味で決断の時が来たことを悟った。

アトランチス星に満ちている悪の思考エネルギーを越える善の思考エネルギーを獲得することが宇宙魂の教師に成り得ると。その為には肉体の焼失をも意味していた。

ムーラーは悪の根源であるサタンに対して宣戦布告した。

サタン人の間で混乱が起こった。サタン人には思いもしなかった事だった。

ムーラーに不意打ちで攻撃する予定が、逆に不意を突かれたのだ。

ムーの星の衛星には、アトラーが与えた三隻の宇宙船があった。宇宙船には隕石に遭遇した時、それを粉砕するレーザー砲が搭載されていた。

もし、宇宙で交戦すると、サタン人側にも被害が出る事が予想された。サタン人は、自分達の先祖が原子爆弾一つで全面降伏した過去を決して忘れる事がなかった。

アトランチス星には、戦後封印されていた中性子爆弾があった。

サタンは緊急事態だとして、議会に中性子爆弾の使用の決議を促した。サタンの傀儡（かいらい）になっていた議会は賛成決議を行い、即実行に移された。

中性子爆弾を乗せたロケットはムーの星に向かった。

サタンは、ムーラーが中性子爆弾の威力で全面降伏すると確信していた。

ムーの星では、ムーラーの最後の仕事として、アトランチス星のムーラー信者の庶民に対して宇宙神魂の神意を伝え、肉体は亡びても善の心を持てば魂は宇宙神魂の元へ帰依出来ることを説いた。

ムーラー達も宇宙魂の教師に昇華する瞬間を持った。

ロケットはサタンの思惑通りムーの星に突入し中性子爆弾を爆発させた。その威力は、サタンが考えていた以上に強力で、その力は地表を突き抜けてマグマまで達した。マグマは中性子爆弾が開けた穴をジェット気流となって地表に噴出した。その威力はムーの星の軌道を変える程のエネルギーの噴射だった。ムーの星は、地表の二割ジェット噴射で失い、赤い火の玉となって太陽の方へ軌道を変えた。

ムーの星の衛星は地表にあった宇宙船とその基地を熱風で吹き飛ばされながら、ムーの星を追っていくも、その速さについていけなくなり、ついに迷子になった。

アトランチス星では、ムーの星に起こったことを信じられない思いで眺めていた。最初は、ムーの星の爆発はムーの星の消滅だけですむと思っていた。それが、ムーの星が火の玉となって軌道を変え、自分達の方へ向かってくることを知ると、アトランチスの星は恐怖と混乱に陥った。

サタン人は星から逃げるために宇宙港から空へ逃げようと殺到した。しかし、宇宙船はムーの星の発する電磁波で機能は停止していた。

サタン人はどこにも逃げ場が無くなった時、やっと、ムーラーが唱えていた、人が道徳心を失ったとき天罰が下るということを実感した。

阿鼻叫喚の中、ムーラー信者達の心は穏やかだった。ムーラーが教えてくれた宇宙神魂の神意が実行されていることに、神の存在を実感し、魂の昇華を待つことが出来た。

ムーの星の熱風がアトランチス星に届くと、その熱で電源に使用していた原子力発電所のすべてが核爆発を起こし、地表の二割を吹き飛ばし、その熱エネルギーは吹き飛ばしたあらゆる物質が液状化し地上に漂いだした。

地表が液状化したアトランチス星の衛星の外側をムーの星が通過した。アトランチス星の引力より強い引力を持つムーの星と衛星の引力より強い引力が増大し、掃除機の吸い口がゴミを吸い込むように、アトランチスの衛星が液状化した地表の物質を吸い取り衛星に巻き取っていった。液状物質を巻き取って体積を増やした衛星はムーの星の引力に引っ張られ、アトランチス星の引力から抜け出したものの、途中でムーの星の速さに追い付けなくなり、別の軌道を飛ぶようになった。

父は話を中断し尚に質問した。

「尚は、今の火星の衛星のことを知っているか」と父が訊いてきた。

「フォボスとダイモスでしょう」と答えた。

「二つの衛星は、液状化した物質を吸い込んだ衛星に取り込まれなかったアトランチス星の吹き飛んだ地表の欠けらだ」と父が言った。

「あれだけ豊かだったアトランチス星も、今では二割も小さくなり、不毛の地となって人々の目に曝している」父はアトランチス星の運命を嘆くように言った。

「尚、ムーの星とアトランチスの衛星はどうなったと思う」と質問してきた。

尚は第一期太陽系では地球が第一惑星だったと言われたことを思い出した。

「アトランチスの衛星は水星になって、ムーの星は金星になった」

「その通り、第二期太陽系では、地球が第三惑星で、第一惑星はアトランチスの衛星で今は体積を増やし、水星と呼ばれるようになった。第二惑星はムーラーの思念の大偉業を成し遂げたムーの星が金星と呼ばれ、ムーラーの希望の星である地球の行く末を見守っている。ムーの星が回っていた軌道上には、ムーの星の爆発で飛び散った破片が小惑星群となって回っている」と父が言った。


地球では、ムーの大陸の大王様が太陽の舟が完成したことをムーの星に伝えた後、ムーの星のムーラーから地球の運命を告げられた。

ムーの星の爆発は、地球の大災害の予兆だった。

ムーの大陸では、大災害に備えて箱舟の建造を始めた。箱舟は、七種族の人々が種族別に建造を始めた。一種族五千人が生活出来るように、いくつもの箱舟を連結して造られた。住居、家畜小屋、野菜小屋、作業所、人間や動物の排泄物でメタンガスを製造し、料理や暖房に使用出来るように備えていた。

アトランチス島では大混乱が起きていた。

アトランチス島のサタンは、アトランチス星のサタンからムーの星を攻撃する計画を告げられていた。アトランチス島のサタンも、その時にはムーの島を攻撃する予定だった。それが、ムーの島を攻撃するどころか、自分達の命が危ないことを知った。ムーの星の衛星が地球に向かっているのを探知したのだ。

地球のアトランチス大陸には、二隻のロケットが留まっていた。二隻のロケットにはサタン人の半分しか乗れなかった。半分は三カ所の研究所に避難した。

太陽の舟は、アトランチス島から二隻のロケットが地球周回を回っている母船にロッキングして、被害の及ばない場所に逃げようとしているのを探知した。将来の災いを取り除くために、太陽の舟は追尾し撃沈した。折り返し、アトランチス島の基地を破壊した。

大王様とムーラーと神々はアトランチス島の基地を破壊したことでサタン人を全滅させたと思った。三カ所の研究所は残酷な実験をしていたので、ムーラーや人間には秘密にしていたので、そこに逃げ込んだサタン人の存在を知らなかった。


ムーの衛星の衝突が迫っていたために、太陽の舟と宝王号と飛竜号は、七種族の箱舟を安全な場所に牽引するのに全力を尽くした。

亀号は、サタンに見捨てられた人間の集落を回り、サタンが天国でいかに人間を家畜のように扱っていたかを話し、その天罰でサタンの星は消滅し、その余波が地球に及ぶことを告げ、津波や氷河期が来ることを知らせ、その備えをするように通告して回った。低地にいた部族には、高台に逃げるように促し、道をレーザー砲で造り、高台の岩山に一時の避難場所として無数の洞穴を造った。

すべての準備を終えた太陽の舟は、舟に残る大王様と舟を維持するのに必要な神々以外は、大災難の後の人間の復興を助けるために各種族の箱舟にムーラーと神々は分散して乗った。

太陽の舟は一番安全と思われる南極の海の底で災難の過ぎるのを待つことにした。

ムーの衛星はムーラーから多くの使命を与えられて地球に向かった。

ムーの衛星はムー島に西から斜めに衝突した。これは地球を破壊しないための角度と、衝突によって地球の軌道を外側にずらし温暖な星にするためだった。また、衝突によって衛星の速度を弱め、地球の引力から脱出出来ない速さに落とし、地球の衛星となって、地軸を安定させ地軸の揺れによる災害の発生を防ぐ役目も担っていた。

衛星の衝突で、ムーの島は南アメリカ大陸の西海岸の底に沈みこみ、西海岸は隆起して世界最長の山脈を形成した。

衛星の衝突は、中国東海岸を大陸から引き剥がし、日本列島を形成していった。

ムーの島の反対側にあったアトランチス島は引き裂かれてイギリス海峡の底に沈んでいった。

アトランチス島は消滅しても、人間の間には光るピラミッドとロケットの印象は強烈でピラミッド信仰が長く語り継がれた。

特に、アトランチス島に近かったエジプトでは、神の家としてのピラミッドとロケットの形状がオベリスクとして残され、アトランチス大陸神話も長く語り伝えられた。

衛星の衝突は海水と一緒に魚も空高く舞い上がらせた。舞い上がった魚は、地上の避難していた人間の頭上に舞い下りた。その魚は、月となったムーの星の衛星の人間への贈り物だった。その魚を保存食として、人間は氷河期を乗り越えることが出来た。また、舞い上がった海水は海の無い陸地に塩湖として命の源である塩を与えた。

熱球となったムーの星は熱風で地球に影響を及ばさないように、地球より低い軌道を金星となって回っている。

「尚は、月のクレーターがどうして出来たか知っているか」突然、父が質問してきた。

「隕石の衝突で出来た」

「その通り。でも、もし、月が地球の誕生以来ずっと一緒だったら、外から来た隕石は裏側に当たる確率が高いはずだ。表側に当たるには地球の側を通らなければならない。そうすると隕石は地球の引力に引き込まれ、地球に落ちる確率が高く、表側は裏側よりクレーターが少ないはずなのに、逆なのは月がムーの星の衛星だった裏付けになる」父は一息入れた。「月はムーの星の衛星だった時から、重心が中心よりずれていたために、たえず、ムーの星に表面を晒していた。そのためにムーの星が爆発した時、ムーの星の飛び散った岩石が表面に集中した」

「月は、ムーの星の爆発で出来たクレーターと、地球に衝突した時に出来た断裂クレーターという大災害の傷痕を残しながら、地球を見守っている」と言い「月は、神々にムー星人の思念を思い起こさせる神聖な星だ」と付け加えた。

月の衝突は地球に氷河期をもたらし、安全と思って避難した南極は極寒な寒さに襲われ、太陽の舟は厚い氷の中に閉じ込められてしまった。太陽の舟はあまりにも大きくて身動き出来なくなっていた。太陽の舟のレーザー砲で氷を壊すのは、さらに海の底に沈むおそれがあったので宝王号のレーザー砲で少しずつトンネルを掘って、宝王号が地上に出るのに一〇年という歳月を要した。

一〇年振りに地上を偵察した亀号の神々は驚愕した。地上では滅ぼしたと思っていたサタンの乗り物のヘリコプターが飛び回っていた。

神々はサタンに気付かれないように密かに人間に接触した。人間から聞き取った一〇年間の地上の経緯は、ムーラーと神々にとって悲惨な歴史だった。

大災害の後、箱舟のおかげでムーラーと神々と人間は一年もすると地上で生活出来るようになった。

地上では各種族のムーラーと神々は無線で互いの情報をやり取りしながら復興に向かっていた。

三年目に入って、突然、サタンが各種族の集落を一斉攻撃して、ムーラーと神々全員を捕らえた。

サタンは大災害の時、原子力発電所を備えた地下研究所に避難して難を逃れていた。サタン達は氷河の厚い氷から脱出するのに三年を要した。地上に出てからも行動は慎重で狡猾だった。ムーラーと神々が無線を使って情報のやり取りをしているのを秘かに受信して、ムーラーと神々の居場所をすべて把握してから一斉攻撃を仕掛けて、ムーラー達と神々を捕まえ、見せしめとして人間の前で処刑した。その後、人間を恐怖政治で統治している。そして、三カ所の研究所の上にサタン帝国を築いていた。

偵察隊がもたらした報告は大王様を嘆きの淵に落とし込んだ。それでも、大王様は怒りに満ちている神々を抑えて、サタン殲滅(せんめつ)の計画を立てた。

サタンは、太陽の舟の存在を知らなかったために、地上のムーラーと神々を抹殺したことで、神々に対する備えはしていなかった。

ただ、人間の反乱を恐れ、人間の集落をサタン帝国より遠く離れた場所に築いていた。

これは、サタン帝国壊滅には好都合だった。

神々は攻撃を仕掛ける前に、三カ所のサタン帝国に奴隷として使われていた人間を助け出すことから始めた。幸い、サタン達は夜人間に寝首をかかれるのを恐れて、サタンの住宅と離れた所に人間の住居を造り、夜はそこにカギを掛けて閉じ込めていた。

神々は、あらかじめ、人間に脱出の時間を知らせ、カギを壊して、最初は徒歩で飛行艇の所まで行き、飛行艇で安全な場所まで避難させた後、三隻の飛行艇は三カ所のサタン帝国の上空から同時にレーザー光線を発射した。レーザー光線は厚い壁を突き抜け原子炉に届いた。その爆発はすさまじく、広大な面積を焼け野原にし、サタンを全滅させた。

神々は爆発の後、サタンの子が支配している集落を捜索したが、サタンの子達は行方をくらましていた。サタンの子達は、神々が考えていた以上に狡猾だった。サタンの子達は非常事態に備えて、どこかの施設が攻撃を受けたら、自動的に警報器が鳴るように設置していたのだ。

神々はサタンの子達を捕らえることが出来なかった。しばらく、サタンの子達を捜索したが、彼等は巧妙に姿を消し、発見出来なかった。

神々には、長く地上に逗留する時間が無かった。氷の中に閉じ込められていた太陽の舟を維持するために、神々は手一杯だった。

神々は人間にサタンの子から身を守る方法をいくつか教えて、太陽の舟に戻ることにした。

まず、最初に取り組んだのが、人間は共通語としてアトランチス語を話していた。それを排し、各人種別々の言語を話すように勧めた。そして、自警団を結成して、神祭りを起こし、そこにアトランチス語を話す者が現れたらサタンの子であるから、それを捕らえればサタンの子の集団を捜す手掛かりになるはずだと教えた。

神々は、太陽の舟に帰った後、神々の子を増やす計画を立てた。

「それが、神海島のような神生み所を、人間や他の神生み所の神々にも知られないように秘かに設立した。それは、大災害後の地上の神々がサタンに滅ぼされたのは神々がネットワークを持っていたために、それを利用されたと分かったからだ。その為に、長老以外はそれぞれの種族の居所を把握出来ない組織にした」と父は言った。

大王様は寿命が近いことを知っていた。

太陽の舟には、冬眠ボックス〝たまて〟が大王様と七種族の代表が一人ずつ冬眠できる七個が用意されていた。

老化は人の体の中の限界子が年月を得るにしたがって回転力を弱める為に起こる。

〝たまて〟は上下に陽球子板を陰球子板が設置され、周囲を中球子板が囲んでいた。陽球子板と陰球子板の間の人の細胞の限界子は回転を止め、限界子が直立した状態のままになるので、電源がある限り何万年、何十万年でも生命を維持出来た。

〝たまて〟に入った各種族の神々は百年すると蘇生させ、百年間の地球の状態を判断して、今後の指示を出し、次の長老と交替する規則を作った。

甦った神々はそれぞれの種族の神生み所で余生を過ごすことになる。

神々の行動目標がすべて定まった後、大王様は自分の役目が終わったことを悟った。大王様は次の蘇生が最後だと分かっていた。その為に、地球の人間が理想郷を築き上げたのを見届けたい、と言って〝たまて〟に入った。

大王様の願いとは裏腹に現在の地球は悪い方向に進んでいる。

サタンの子は悪賢く、最初の数回は人間の神祭りのワナに嵌まったものの、すぐに、そのワナに気付き、長年にわたって人間を観察し、人間がアトランチス語を捨て、各種族が違う言語を話すようになっていることを突き止めた。そして、サタンの子達はアトランチス語を排して、人間の各種族の言葉を修得して、人間の中に溶け込んだ。

その後のサタンの子の行動は迅速だった。

サタンの子はサタンがアトラーを取り込んだ手法を人間に行った。麻薬と暗示で人間をサタン信者に取り込んでいった。そして、取り込んだ人間を使って、宗教戦争を起こした。

サタンの子は神祭りで自分達を嵌めたように、今度は宗教戦争を起こして、神々の登場を促したのだ。

サタンの子は、神の実態を把握出来ないうちは自分達が表舞台で活躍出来ないことを知っていたからだ。

「神々がサタンの子の思惑に乗って、万が一神々の一人でもサタンの子に捕まって、神々の神生み所や太陽の舟の存在がサタンの子に把握されたら、色々な面でサタンの子に裏を掛かれる恐れがあるために我々、神々も迂闊に宗教戦争に介入出来ないのだ」と父は言い「今日はここまでにして、次は明日にしよう、もし、尚が聞きたいことがあったら何度でも聞いていいから」と言った。

父の口伝物語が終わった。

「オトー、尚に話すことあるね」と父が祖父の誠修に向かって言った。

「孝と尚に長老会から神々に新しい使命が下りたことを伝えたい」しばらく間を置いてからオジィが話し出した。「孝が話していた百年に一度の神々の甦りが五日前に行われた。甦った神々の結論は、今の地球は破滅に向かっている。その大きな要因が人間の人口増加にある。それを是正するには、ムーの星で取り入れられていた自然と共存共栄出来る人口比率を保つための産児制限の思想の普及と、地球に充満している悪気を浄化する聖霊の森を砂漠に再生すること、この二つが甦った神々の指令になった」と言い、尚の目を見た。

「尚、地球は継母で、継母を失ったら逃げて行く星は無いのだから」という言葉を残してオジィは部屋を出て行った。

尚の頭の中でオジィの言葉がこだましました。

地球は継母——

——地球は継母——

——地球は継母——

予告

地球は継母第二章

「神々の新たな使命」へと続く

筆者は、地球温暖化に非常な危機感をいだいています。ヨーロッパでは若者達が温暖化の危機を訴えていますが、日本は、まだ、意識が薄いように思えて仕様がないです。読者も地球を救うアイデアがあったら声を上げてみませんか。一人の声は小さくても一千万人、一億人と声を上げれば天の声になるはずです。

地球は継母
―地球にとって人類は異星人―

二〇二一年一月八日　初版第一刷発行

著　者　**夕光**
（本名　安里友孝）
〒九〇一-二二〇二
宜野湾市普天間一-三一-八
電話〇九〇-九七八七-一三三一

発　行　新星出版株式会社
〒九〇〇-〇〇〇一
沖縄県那覇市港町二-十六-一
電話〇九八-八六六-〇七四一

ISBN978-4-909366-57-3　C0095
定価はカバーに表示してあります。